A imaginação

Leia também na Coleção **L&PM** POCKET:

Esboço para uma teoria das emoções – Jean-Paul Sartre
Sartre – Annie Cohen-Solal

Jean-Paul Sartre

A imaginação

Tradução de Paulo Neves

www.lpm.com.br

L&PM POCKET

Coleção **L&PM** POCKET, vol. 666

Texto de acordo com a nova ortografia.

Título original: *L'imagination*

Primeira edição na Coleção **L&PM** POCKET: janeiro de 2008
Esta reimpressão: setembro de 2025

Tradução: Paulo Neves
Capa: Ivan Pinheiro Machado
Preparação: Elisângela Rosa dos Santos
Revisão: Jó Saldanha

CIP-Brasil. Catalogação na Publicação
Sindicato Nacional dos Editores de Livros, RJ

S261i

Sartre, Jean-Paul, 1905-1980
    A imaginação / Jean-Paul Sartre; tradução de Paulo Neves. Porto Alegre, RS : L&PM, 2025.
    144p. – (Coleção L&PM POCKET; v. 666)

    Tradução de: *L'imagination*
    ISBN 978-85-254-1728-2

    1. Imaginação (Filosofia). 2. Psicologia e filosofia. I. Título. II. Série.

07-4652.   CDD: 194
                              CDU: 1(44)

© Presses Universitaires de France

Todos os direitos desta edição reservados a L&PM Editores
Rua Comendador Coruja, 314, loja 9 – Floresta – 90.220-180
Porto Alegre – RS – Brasil / Fone: 51.3225.5777

PEDIDOS & DEPTO. COMERCIAL: vendas@lpm.com.br
FALE CONOSCO: info@lpm.com.br
www.lpm.com.br

Impresso no Brasil
Primavera de 2025

Sumário

Introdução 7

I. Os grandes sistemas metafísicos 13
II. O problema da imagem e o esforço dos
    psicólogos para encontrar um método positivo 24
III. As contradições da concepção clássica 75
IV. Husserl 119

Conclusão 136

Índice remissivo 138

Sobre o autor 140

Introdução

Olho esta folha em branco, colocada sobre minha mesa; percebo sua forma, sua cor, sua posição. Essas diferentes qualidades têm características comuns: em primeiro lugar, elas se oferecem ao meu olhar como existências que posso apenas constatar e cujo ser não depende de modo algum do meu capricho. Elas são *para* mim, não são *eu*. Mas elas tampouco são *outrem*, isto é, não dependem de nenhuma espontaneidade, nem da minha, nem da de uma outra consciência. Estão presentes e inertes ao mesmo tempo. Essa inércia do conteúdo sensível, tão frequentemente descrita, é a existência *em si*. De nada serve discutir se essa folha se reduz a um conjunto de representações ou se ela é e deve ser *algo mais*. O certo é que o branco que constato não é minha espontaneidade que pode produzi-lo. Essa forma inerte, que está aquém de todas as espontaneidades conscientes, que deve ser observada, aprendida aos poucos, é o que chamamos uma *coisa*. De modo nenhum minha consciência poderia ser uma coisa, porque seu modo de ser em si é precisamente um *ser para si*. Existir, para ela, é ter consciência de sua existência. Ela aparece como uma pura espontaneidade diante do mundo das coisas que é pura inércia. Podemos, portanto, afirmar desde a origem dois tipos de existência: de fato, é na medida em que são inertes que as coisas escapam à dominação da consciência; é sua inércia que as salvaguarda e que conserva sua autonomia.

Mas eis que agora viro a cabeça. Não vejo mais a folha de papel. Agora vejo o papel cinza da parede. A folha não está mais presente, não está mais *lá*. Sei, no entanto, que ela não se aniquilou: sua inércia a preserva disso. Ela deixou simplesmente de ser *para mim*. Ei-la de novo, porém. Não virei a cabeça, meu olhar continua voltado para o papel da parede; nada se mexeu na peça. Contudo, a folha me aparece de novo com sua forma, sua cor e sua posição; e sei muito bem, no momento em que ela me aparece, que é precisamente a folha que eu via há pouco. É realmente ela *em pessoa*? Sim e não. Por certo afirmo claramente que é *a mesma* folha com *as mesmas* qualidades. Mas não ignoro que essa folha permaneceu *lá no seu lugar*: sei que não usufruo de sua presença; se eu quiser vê-la *realmente*, preciso virar-me para a escrivaninha, preciso trazer de volta meu olhar ao mata-borrão onde a folha está colocada. A folha que me aparece neste momento tem uma identidade de essência com a folha que eu via há pouco. E, por essência, não entendo apenas a estrutura, mas também a individualidade mesma. Só que essa identidade de essência não é acompanhada de uma identidade de existência. É exatamente a mesma folha, a folha que está agora sobre minha escrivaninha, mas ela existe de outro modo. Não a *vejo*, ela não *se impõe* como um limite à minha espontaneidade; não é tampouco um dado inerte que existe *em si*. Em uma palavra, ela não existe *de fato*, ela existe *em imagem*.

Se me examinar sem preconceitos, verei que opero espontaneamente a discriminação entre a existência como coisa e a existência como imagem. Eu não saberia contar as aparições que se denominam imagens. Mas, sejam ou não evocações voluntárias, estas se oferecem, no momento mesmo em que aparecem, como algo diferente da presença. Nunca me engano quanto a isso. Surpreenderíamos muito alguém que não tivesse estudado a psicologia se, depois de ter explicado o que o psicólogo denomina imagem, lhe perguntássemos: acontece-lhe às vezes de confundir a imagem de seu irmão com a presença real dele? O reconhecimento da imagem como tal é um dado imediato do senso íntimo

Uma coisa, porém, é apreender imediatamente uma imagem como imagem, outra é formar pensamentos sobre a natureza das imagens em geral. O único meio de constituir uma teoria verdadeira da existência em imagem seria limitar-se rigorosamente a nada afirmar sobre esta que não tivesse diretamente sua fonte numa experiência reflexiva. É que, na verdade, a existência em imagem é um modo de ser de apreensão muito difícil. Para isso, é preciso contenção de espírito; é preciso, sobretudo, livrar-se de nosso hábito quase invencível de constituir todos os modos de existência segundo o tipo da existência física. Aqui, mais do que em outra parte, essa confusão dos modos de ser é tentadora, pois afinal a folha em imagem e a folha em realidade são uma única e mesma folha em dois planos diferentes de existência. Por conseguinte, tão logo o espírito se desvia da pura contemplação da imagem enquanto tal, tão logo se pensa sobre a imagem sem formar imagens, produz-se um deslizamento e se passa, da afirmação da identidade de essência entre a imagem e o objeto, à de uma identidade de existência. Já que a imagem *é* o objeto, conclui-se que a imagem existe como o objeto. E, dessa maneira, constitui-se o que chamaremos a metafísica ingênua da imagem. Essa metafísica consiste em fazer da imagem uma cópia da coisa, existindo ela própria como uma coisa. Eis aí, portanto, a folha de papel "em imagem" provida das mesmas qualidades que a folha "em pessoa". Ela é inerte, não existe mais apenas para a consciência: existe em si, aparece e desaparece a seu critério e não ao critério da consciência; não cessa de existir ao deixar de ser percebida, mas continua tendo, fora da consciência, uma existência de coisa. Essa metafísica, ou melhor, essa ontologia ingênua é a de todo o mundo. Por isso, observamos o curioso paradoxo: o mesmo homem, sem cultura psicológica, que nos afirmava há pouco poder imediatamente reconhecer suas imagens *como* imagens, vai acrescentar agora que *vê* suas imagens, que as *ouve* etc. É que sua primeira afirmação decorre da experiência espontânea e a segunda, de uma teoria ingenuamente construída. Ele não se dá conta, precisamente, de que, se visse suas imagens, se as percebesse como coisas, não poderia mais distingui-las dos objetos; e ele acaba por constituir, em vez de uma única folha de papel em dois planos de existência, duas folhas rigorosamente semelhantes que existem no mesmo plano. Uma bela ilustração desse coisismo ingênuo das imagens nos é fornecida pela teoria epicuriana dos "simulacros". As coisas não cessam de emitir "simulacros", "ídolos", que são simplesmente invólucros. Esses invólucros têm todas as qualidades do objeto, do conteúdo, da forma etc. São mesmo, exatamente, objetos. Uma vez emitidas, elas existem em si tanto quanto o objeto emissor e podem vagar nos ares durante um tempo indeterminado. Haverá percepção quando um aparelho sensível encontrar e absorver um desses invólucros.

A teoria pura e *a priori* fez da imagem uma coisa. Mas a intuição interna nos ensina que a imagem não é *a* coisa. Esses dados da intuição vão se incorporar à construção teórica sob uma nova forma: a imagem é uma coisa, tanto quanto a coisa da qual é a imagem. Contudo, pelo fato mesmo de ser imagem, recebe uma espécie de inferioridade metafísica em relação à coisa que ela representa. Em suma, a imagem é uma coisa menor. A ontologia da imagem está agora completa e sistematizada: a imagem é uma coisa menor, que tem sua existência própria, que se dá à consciência como qualquer outra coisa e que mantém relações *externas* com a coisa da qual é a imagem. Vemos que é apenas essa inferioridade vaga e maldefinida (que poderá ser somente uma espécie de fraqueza mágica ou que se descreverá, ao contrário, como um grau menor de distinção e de clareza) e essa relação externa que justificam a denominação de *imagem*; adivinhamos assim todas as contradições que resultarão daí.

É essa ontologia ingênua da imagem, no entanto, que vamos reencontrar, no estado de postulado mais ou menos implícito, em todos os psicólogos que examinaram a questão. Todos ou quase todos fizeram a confusão assinalada mais acima entre identidade de essência e identidade de existência. Todos construíram a teoria da imagem *a priori*. E, quando voltaram à experiência, era demasiado tarde: em vez de se deixarem guiar por ela, forçaram-na a responder sim ou não a questões tendenciosas. Sem dúvida, uma leitura superficial dos inúmeros escritos dedicados nos últimos sessenta anos ao problema da imagem parece revelar uma extraordinária diversidade de pontos de vista. Gostaríamos de mostrar que é possível reconhecer, sob essa diversidade, uma teoria única. Essa teoria, que decorre primeiramente da ontologia ingênua, foi aperfeiçoada sob a influência de diversas preocupações alheias à questão e legada aos psicólogos contemporâneos pelos grandes metafísicos dos séculos XVII e XVIII. Descartes, Leibniz, Hume têm uma mesma concepção da imagem. Somente cessam de estar de acordo quando é preciso determinar as relações da imagem com o pensamento. A psicologia positiva conservou a noção de imagem tal como a herdara desses filósofos. Porém, entre as três soluções que eles propuseram para o problema *imagem-pensamento*, ela não soube nem pôde escolher. Propomo-nos a mostrar que devia necessariamente ser assim, tão logo se aceitasse o postulado de uma imagem-coisa. Mas, para marcar isso mais claramente, convém partir de Descartes e fazer uma breve história do problema da imaginação.

I
OS GRANDES SISTEMAS METAFÍSICOS

A principal preocupação de Descartes, diante de uma tradição escolástica em que as espécies eram concebidas como entidades semimateriais, semiespirituais, é separar com exatidão mecanismo e pensamento, o corporal sendo inteiramente reduzido ao mecânico. A imagem é uma coisa corporal, é o produto da ação dos corpos exteriores sobre nosso próprio corpo por intermédio dos sentidos e dos nervos. Como matéria e consciência se excluem uma à outra, a imagem, na medida em que é descrita materialmente em alguma parte do cérebro, não poderia ser animada de consciência. Ela é um objeto, do mesmo modo que os objetos exteriores. É exatamente o limite da exterioridade.

A imaginação ou o conhecimento da imagem vem do entendimento; é o entendimento, aplicado à impressão material produzida no cérebro, que nos dá uma consciência da imagem. Esta, aliás, não é posta diante da consciência como um novo objeto a conhecer, apesar de seu caráter de realidade corporal: de fato, isso remeteria ao infinito a possibilidade de uma relação entre a consciência e seus objetos. Ela possui a estranha propriedade de poder motivar as ações da alma; os movimentos do cérebro, causados pelos objetos exteriores, embora não contenham semelhança com elas, despertam na alma ideias; as ideias não vêm dos movimentos, são inatas no homem, mas é por ocasião dos movimentos que elas aparecem na consciência. Os movimentos são como signos que provocam na alma alguns sentimentos; porém, Descartes não aprofunda essa ideia do signo, ao qual parece dar o sentido de uma ligação arbitrária, e sobretudo não explica como há consciência desse signo; ele parece admitir uma ação transitiva entre o corpo e a alma que o leva ou a introduzir na alma uma certa materialidade, ou na imagem material uma certa espiritualidade. Não se compreende nem como o entendimento se aplica a essa realidade corporal muito particular que é a imagem, nem, inversamente, como no pensamento pode haver intervenção da imaginação e do corpo, uma vez que, segundo Descartes, mesmo os corpos são apreendidos pelo entendimento puro.

A teoria cartesiana não permite distinguir as sensações das lembranças ou das ficções, pois em todos os casos há os mesmos movimentos cerebrais, quer os espíritos animais sejam acionados por uma excitação vinda do mundo exterior, do corpo ou mesmo da alma. Somente o juízo e o entendimento permitem, com base na coerência intelectual das imagens, decidir quais delas correspondem a objetos existentes.

Descartes limita-se, pois, a descrever o que se passa no corpo quando a alma pensa, a mostrar que ligações corporais de contiguidade existem entre essas realidades corporais que são as imagens e o mecanismo de sua produção. Mas não se trata para ele de distinguir os pensamentos baseados nesses mecanismos, que pertencem, assim como os outros corpos, ao mundo das coisas duvidosas.

Spinoza afirma ainda mais claramente que Descartes que o problema da imagem verdadeira não se resolve no nível da imagem, mas apenas pelo entendimento. A teoria da imagem é, como em Descartes, separada da teoria do conhecimento e liga-se à descrição do corpo: a imagem é uma afecção do corpo humano; o acaso, a contiguidade, o hábito são as fontes de ligação das imagens, e a lembrança é a ressurreição material de uma afecção do corpo, provocada por causas mecânicas; os transcendentais e as ideias gerais que constituem a experiência vaga são o produto de uma confusão de imagens, de natureza igualmente material. A imaginação, ou o conhecimento por imagens, é profundamente diferente do entendimento; ela pode forjar ideias falsas e só apresenta a verdade sob uma forma truncada.

Contudo, embora se oponha à ideia clara, a imagem tem em comum com ela o fato de também ser uma ideia; é uma ideia confusa, que se apresenta como um aspecto degradado do pensamento, mas na qual se exprimem as mesmas ligações que no entendimento. Imaginação e entendimento não são absolutamente distintos, pois uma passagem é possível de uma ao outro pelo desenvolvimento das essências envolvidas nas imagens. Eles estão, como o conhecimento do primeiro gênero e o do terceiro gênero, como a servidão e a liberdade humanas, ao mesmo tempo separados entre si e continuamente ligados.

A imagem, em Spinoza, possui um duplo aspecto: ela é profundamente distinta da ideia, é o pensamento do homem enquanto modo finito, e no entanto é ideia e fragmento do mundo infinito que é o conjunto das ideias. Separada do pensamento, como em Descartes, ela tende também, como em Leibniz, a confundir-se com ele, já que o mundo de ligações mecânicas descrito por Spinoza como o mundo da imaginação não está, mesmo assim, separado do mundo inteligível.

Todo o esforço de Leibniz relativamente à imagem é estabelecer uma continuidade entre estes dois modos de conhecimento: imagem, pensamento; a imagem, nele, é penetrada de intelectualidade.

Também ele descreve inicialmente como um puro mecanismo o mundo da imaginação, onde nada permite distinguir imagens propriamente ditas e sensações, umas e outras exprimindo estados do corpo. O associacionismo de Leibniz, aliás, não é mais fisiológico; é na alma que, de um modo inconsciente, as imagens se conservam e são ligadas entre si. Somente as verdades estabelecidas pela razão têm entre si ligações necessárias, somente elas são claras e distintas. Portanto, há distinção ainda aqui entre o mundo das imagens, ou ideias confusas, e o mundo da razão.

Sua relação é concebida de maneira normal: em primeiro lugar, segundo Leibniz, o entendimento nunca é puro, pois o corpo está sempre presente à alma; mas, por outro lado, a imagem só tem um papel acidental e subordinado, o papel de um simples auxiliar do pensamento, de um signo. Leibniz busca aprofundar essa noção de signo: segundo ele, o signo é uma expressão, ou seja, na imagem há conservação do mesmo sistema de relações que no objeto do qual ela é a imagem, a transformação de um no outro pode exprimir-se por uma regra válida tanto para a totalidade quanto para cada parte.

Assim, a única diferença entre imagem e ideia é que, num caso, a expressão do objeto é confusa e, no outro, clara; a confusão deve-se ao fato de todo movimento envolver nele a infinidade dos movimentos do universo e ao fato de o cérebro receber uma infinidade de modificações às quais só pode corresponder um pensamento confuso, envolvendo a infinidade das ideias claras que corresponderiam a cada detalhe. As ideias claras, portanto, estão contidas nas ideias confusas; são inconscientes, são percebidas sem serem discernidas; somente é discernida sua soma total, que nos parece simples pela ignorância em que estamos de seus componentes.

Portanto, entre imagem e ideia há uma diferença que se reduz quase a uma pura diferença matemática: a imagem tem a opacidade do infinito; a ideia, a clareza da quantidade finita e analisável. Ambas são expressivas.

Entretanto, se a imagem se reduz a elementos inconscientes em si mesmos racionais, a uma infinidade de relações expressivas, participando assim da dignidade do pensamento, seu aspecto subjetivo não se explica mais. De que maneira a soma de percepções inconscientes, do amarelo e do azul, por exemplo, produz a apercepção consciente do verde? De que maneira, diminuindo o grau de consciência das ideias elementares, sua consistência no espírito pode dar lugar a essas bruscas combinações? Leibniz não se inquieta com isso. Ele busca reencontrar na imagem um sentido que a vincule ao pensamento e faz desaparecer a imagem como tal. Inclusive abusa de uma analogia matemática quando toma por estabelecido que confusão é o mesmo que infinidade, opacidade ou ainda irracionalidade; de fato, o irracional do matemático nunca é senão um certo racional que ainda não se sabe assimilar; porém, colocando-nos no terreno lógico, nunca poderemos, ao término de uma construção, estar diante de uma opacidade absolutamente alógica contra a qual nenhum pensamento tem mais valor. A qualidade não é a quantidade, mesmo infinita, e Leibniz não chega a restituir à sensação o caráter sensível, qualitativo, do qual inicialmente a despojou.

Aliás, a noção de expressão, que permite atribuir aos dados sensíveis uma significação intelectual, é obscura. É uma relação de ordem, diz Leibniz, uma correspondência. Mas não pode existir representação natural de um "reino" por um outro "reino"; sempre é preciso uma construção arbitrária do espírito para que a seguir o espírito possa admitir que se encontra diante de relações equivalentes.

Assim, ao tentar fundar o valor representativo da imagem, Leibniz não consegue nem descrever claramente sua relação com o objeto, nem explicar a originalidade de sua existência enquanto dado imediato da consciência.

Enquanto Leibniz, para resolver a oposição cartesiana imagem/pensamento, tende a eliminar a imagem como tal, o empirismo de Hume se esforça, ao contrário, por reduzir todo o pensamento a um sistema de imagens. Ele toma do cartesianismo sua descrição do mundo mecânico da imaginação e, isolando esse mundo do terreno fisiológico no qual mergulhava, embaixo, e do entendimento, em cima, faz dele o único terreno no qual o espírito humano se move realmente.

No espírito, há somente impressões e cópias dessas impressões que são as ideias e que se conservam no espírito por uma espécie de inércia; ideias e impressões não diferem em natureza, o que faz com que a percepção não se distinga nela mesma da imagem. Para reconhecê-las, será preciso recorrer a um critério objetivo de coerência, de continuidade cujo sentido é bem mais obscuro do que em Descartes, pois não se compreende sobre o que o espírito pode se apoiar se ele é constituído unicamente por um mosaico de impressões –, para sair das impressões e elevar-se acima delas por um julgamento.

As imagens estão ligadas entre si por relações de contiguidade, de semelhança, que agem como "forças dadas"; elas se aglomeram segundo atrações de natureza em parte mecânica, em parte mágica. A semelhança de algumas imagens nos permite atribuir-lhes um nome comum que nos leva a crer na existência da ideia geral correspondente, o conjunto das imagens sendo o único real, no entanto, e existindo "em potência" no nome.

Toda essa teoria supõe, porém, uma noção que jamais é nomeada, a de inconsciente. As ideias não têm outra existência senão a de objetos internos do pensamento, mas elas nem sempre são conscientes, pois só despertam por sua ligação com ideias conscientes; portanto, perseveram em seu ser à maneira de objetos materiais, estão sempre inteiramente presentes no espírito, só que nem todas são percebidas. Por quê? E de que maneira o fato de serem extraídas por uma força dada a uma ideia consciente lhes confere o caráter consciente? Hume não coloca o problema. A existência da consciência desaparece totalmente por trás de um mundo de objetos opacos que emitem, não se sabe de onde, uma espécie de fosforescência, aliás caprichosamente distribuída, e que não desempenham nenhum papel ativo.

Por outro lado, para poder reconstruir todo o pensamento com o auxílio de imagens, o associacionismo é obrigado a negar a existência de toda uma categoria de pensamentos cujo objeto, como os cartesianos haviam bem compreendido, não se dá por nenhuma impressão sensível.

Assim, desde o final da primeira metade do século XVIII, o problema da imagem está nitidamente formulado; ao mesmo tempo, foram estabelecidas três soluções.

Diremos, com os cartesianos, que existe um pensamento puro, sempre suscetível – ao menos de direito – de substituir à imagem como a verdade ao erro, como o adequado ao inadequado? Nesse caso, não há um mundo da imagem e um mundo do pensamento, mas um modo de apreensão incompleto, truncado, puramente pragmático do mundo, e um outro modo de apreensão que é uma visão total e desinteressada. A imagem é o domínio da aparência, mas de uma aparência à qual nossa condição de homem dá uma espécie de substancialidade. Há, portanto, entre a imagem e a ideia, ao menos no plano psicológico, um verdadeiro hiato. A imagem não se distinguirá da sensação; ou melhor, a distinção que se estabelecer entre elas terá sobretudo um valor prático. A passagem do plano imaginativo ao plano ideativo sempre se opera como um salto: há aí uma descontinuidade primeira que implica necessariamente uma revolução ou, como será dito a seguir, uma "conversão" filosófica. Revolução tão radical que coloca a questão da identidade mesma do sujeito: isto é, seria preciso, em termos psicológicos, uma forma sintética especial para unir o eu que pensa a cera[1] ao eu que a imagina, *numa mesma consciência*, e para unir concomitantemente a cera imaginada à cera pensada na afirmação de identidade "*é o mesmo* objeto". A imagem, por essência, só poderá fornecer ao pensamento um auxílio bastante suspeito. Há pro-

---

1. Cera da colmeia, cf. Descartes, *Meditações* II, 11. (N.T.)

blemas que se colocam somente para o pensamento puro, porque seus termos não poderiam de modo algum ser imaginados. Outros tolerarão o uso de imagens, com a condição de que esse uso seja rigorosamente regulamentado. De todo modo, essas imagens não têm outra função senão a de preparar o espírito para fazer a conversão. Elas são empregadas como esquemas, signos, símbolos, mas nunca entram como elementos reais no ato propriamente dito de ideação. Entregues a si mesmas, elas se sucedem conforme um tipo de ligação puramente mecânica. A psicologia será relegada ao terreno das sensações e das imagens. A afirmação da existência de um pensamento puro subtrai o entendimento mesmo às descrições psicológicas: este só pode ser o objeto de um estudo epistemológico e lógico de significações.

Mas a existência independente dessas significações nos parecerá, talvez, um contrassenso. De fato, ou devemos tomá-las como um *a priori* que existe no pensamento ou como entidades platônicas. Nos dois casos, elas se furtam à ciência indutiva. Se quisermos afirmar os direitos de uma ciência positiva da natureza humana, que se eleve dos fatos às leis como a física ou a biologia, se quisermos tratar os fatos psíquicos como *coisas*, teremos de renunciar a esse mundo de essências que se oferecem à contemplação intuitiva e na qual a generalidade é dada de início. Teremos de afirmar este axioma de método: não se pode atingir nenhuma lei sem passar primeiro pelos fatos. Mas, por uma aplicação legítima desse axioma à teoria do conhecimento, será preciso que reconheçamos as leis do pensamento como originadas, elas também, dos fatos, isto é, das sequências psíquicas. Assim, a lógica torna-se uma parte da psicologia, a imagem cartesiana torna-se o fato individual a partir do qual se pode induzir, e o princípio epistemológico "partir dos fatos para induzir as leis" será o princípio metafísico: *nihil est in intellectu quod non fuerit prius in sensu*[1]. Assim,

---

1. "Nada existe no intelecto que primeiro não tenha passado pelos sentidos." Afirmação de John Locke no *Ensaio sobre o entendimento humano* (1690). (N.T.)

a imagem de Descartes aparece ao mesmo tempo como o objeto individual de onde o cientista deve partir e como o elemento primeiro que, por combinação, produzirá o pensamento, ou seja, o conjunto das significações lógicas. Seria preciso falar aqui do pampsicologismo de Hume. Os fatos psíquicos são coisas individuadas que se ligam por relações externas: deve haver uma *gênese* do pensamento. Assim, as superestruturas cartesianas desmoronam, restando apenas as imagens-coisas. Mas com as superestruturas desmorona também o poder sintético do eu e a própria noção de representação. O associacionismo é, antes de tudo, uma doutrina ontológica que afirma a identidade radical do modo de ser dos fatos psíquicos e do modo de ser das coisas. Existem apenas coisas, em última análise: essas coisas entram em relação umas com as outras e constituem uma certa coleção que é chamada *consciência*. E a imagem não é senão a coisa enquanto esta mantém com outras coisas um certo tipo de relações. Vemos aqui o germe do neorrealismo americano. Mas todas essas afirmações metodológicas, ontológicas e psicológicas decorrem analiticamente do abandono das essências cartesianas. A imagem não se transformou em nada, não sofreu nenhuma modificação enquanto o céu inteligível desmoronava, pela simples razão de que ela já era, em Descartes, *uma coisa*. É o advento do psicologismo, o qual, sob diversas formas, não é senão uma antropologia positiva, isto é, uma ciência que quer tratar o homem como um ser do mundo, negligenciando o fato essencial de que o homem é também um ser que *se representa* o mundo e a si mesmo no mundo. E essa antropologia positiva já está em germe na teoria cartesiana da imagem. Ela nada acrescenta ao cartesianismo, apenas suprime. Descartes afirmava ao mesmo tempo a imagem e o pensamento sem imagem; Hume conserva somente a imagem sem o pensamento.

Mas talvez queira se conservar tudo no seio de uma continuidade espiritual, afirmar a homogeneidade do fato e da lei, mostrar que a experiência pura já é razão. Nesse caso, se fará observar que se do fato se pode passar à lei, é que o fato já era como uma expressão da lei, um signo da lei: ou melhor, o fato é a própria lei. Nada mais resta da distinção cartesiana entre a essência necessária e o fato empírico. Porém, no empírico, pretende-se reencontrar o necessário. Sem dúvida, o fato *aparece* como contingente; sem dúvida nenhuma a inteligência humana poderá justificar a cor dessa folha ou de sua forma. Mas isso é somente porque essa inteligência é limitada por natureza. Nunca se induz a não ser onde, *de direito*, se poderia deduzir. As "verdades contingentes" de Leibniz são *de direito* verdades necessárias. Para Leibniz, portanto, a imagem continua sendo um *fato* semelhante aos outros fatos, a cadeira em imagem não é outra coisa senão a cadeira em realidade. Contudo, assim como a cadeira em realidade é um conhecimento confuso de uma verdade *de direito* redutível a uma proposição idêntica, assim também a imagem é apenas um pensamento confuso. Em suma, a solução de Leibniz é claramente um panlogismo, só que esse panlogismo tem apenas uma existência de direito que se sobrepõe a um empirismo de fato. Psicologicamente, seremos obrigados, por trás de toda imagem, a reencontrar o pensamento que ela implica *de direito*: mas o pensamento jamais se revelará a uma intuição de fato, jamais teremos a experiência concreta do pensamento puro como encontramos no sistema cartesiano. O pensamento não aparece a si mesmo, ele se obtém pela análise reflexiva. Eis por que Leibniz pode responder a Locke o famoso *nisi ipse intellectus*[1]. No fundo, a imagem dos empiristas reaparece aqui tal e qual como fato psicológico, e é somente por sua natureza metafísica que Leibniz está em desacordo com Locke.

---

1. É o acréscimo irônico de Leibniz à frase de Locke: "Nada existe no intelecto que primeiro não tenha passado pelos sentidos, *a não ser a própria inteligência*". (N.T.)

Um reino do pensamento radicalmente distinto do reino da imagem; um mundo de puras imagens; um mundo de fatos-imagens por trás do qual é preciso reencontrar um pensamento que aparece apenas indiretamente, como a única razão possível da organização e da finalidade que se pode constatar no universo das imagens (um pouco como Deus, no argumento físico-teológico, deixa-se concluir a partir da ordem do mundo): eis aí as três soluções que nos propõem as três grandes correntes da filosofia clássica. Nessas três soluções, a imagem conserva uma estrutura idêntica. Ela continua sendo *uma coisa*. Somente suas relações com o pensamento se modificam, conforme o ponto de vista adotado sobre as relações do homem com o mundo, do universal com o singular, da existência como objeto com a existência como representação, da alma com o corpo. Seguindo o desenvolvimento contínuo da teoria da imagem através do século XIX, constataremos talvez que essas três soluções são as únicas possíveis desde que aceito o postulado de que a imagem é apenas uma coisa e de que todas elas são *igualmente* possíveis e *igualmente* defeituosas.

II
O PROBLEMA DA IMAGEM E O ESFORÇO DOS PSICÓLOGOS PARA ENCONTRAR UM MÉTODO POSITIVO

O problema da imagem poderia ter recebido do romantismo uma verdadeira renovação. Com efeito, o romantismo, tanto em filosofia como em política e em literatura, manifesta-se por um retorno ao espírito de síntese, à ideia de faculdade, às noções de ordem e de hierarquia, a um espiritualismo acompanhado de uma fisiologia vitalista. E realmente, durante algum tempo, a maneira como se considera a imagem parece muito diferente dos três pontos de vista clássicos que enumeramos:

"Muitos bons espíritos", escreve Binet[1], "recusavam-se a admitir que o pensamento tem necessidade de signos materiais para se exercer. Parecia-lhes que isso seria fazer uma concessão ao materialismo. Em 1865, na época em que teve lugar no seio da sociedade médico-psicológica uma grande discussão sobre as alucinações, o filósofo Garnier e alienistas eminentes tais como Baillarger, Sandras e outros sustentavam que um abismo intransponível separa a concepção de um objeto ausente ou imaginário – ou seja, a imagem – e a sensação real produzida por um objeto presente; que esses dois fenômenos diferem não apenas em grau, mas em natureza..."

Colocava-se em dúvida, portanto, o postulado comum às teses de Descartes, de Hume e de Leibniz, a iden-

---

1. *Psychologie du raisonnement*, Paris, 1896. (N.A.)

tidade de natureza entre imagem e sensação.[1] Infelizmente, tratava-se, como se vê, mais de uma atmosfera geral que de uma doutrina formada. A atmosfera rapidamente mudou. Já em 1865, os pensadores citados por Binet podiam ser considerados como conservadores: "A ideia de ciência", escreve Giard, "está intimamente ligada às de determinismo e de mecanicismo."

E isso certamente é um erro, mas foi a ciência determinista e mecanicista que conquistou a geração de 1850. Ora, quem diz mecanicismo diz espírito de análise: o mecanicismo busca decompor um sistema em seus elementos e aceita implicitamente o postulado de que estes permanecem rigorosamente idênticos, quer estejam no estado isolado ou em combinação. Segue-se naturalmente este outro postulado: as relações que os elementos de um sistema mantêm entre si são exteriores a eles; é esse postulado que se formula ordinariamente sob o nome de princípio de inércia. Assim, para os intelectuais da época que consideramos, tomar uma atitude científica diante de um objeto qualquer – seja ele um corpo físico, um organismo ou um fato de consciência – é estabelecer, antes de toda investigação, que esse objeto é uma combinação de invariantes inertes que mantêm entre si relações externas. Por um curioso desvio, quando a ciência dos cientistas, a ciência "que se faz", não é, por essência, nem análise nem síntese pura, mas adapta seus métodos à natureza de seus objetos, uma interpretação simplista de seus progressos reconduziu os filósofos à posição crítica do século XVIII e a uma hostilidade de princípio contra o espírito de síntese.

Desde então, todo esforço para constituir uma psicologia científica deveria necessariamente concentrar-se numa tentativa de reduzir a complexidade psíquica a um mecanismo.

---

[1]. Pode-se ler com interesse a tentativa do belga Ahrens para criar uma nova teoria da imagem em seu *Cours de Psychologie*, ministrado em Paris em 1836. Editado por Brockhaus e Avenarius. (N.A.)

"As palavras *faculdade, capacidade, poder*, que desempenharam tão grande papel em psicologia, não passam, como se verá, de nomes cômodos por meio dos quais colocamos juntos num compartimento distinto todos os fatos de uma espécie distinta; (...) eles não designam uma essência misteriosa e profunda que permanece e se esconde sob o fluxo dos fatos. (...) Assim, a psicologia torna-se uma ciência de fatos, pois são fatos os nossos conhecimentos; pode-se falar com precisão e detalhes de uma sensação, de uma ideia, de uma lembrança, de uma previsão, assim como de uma vibração, de um movimento físico (...) pequenos fatos bem escolhidos, importantes, significativos, amplamente circunstanciados e minuciosamente registrados, eis aí, hoje, a matéria de toda ciência (...) nossa grande questão é saber quais são esses elementos, como nascem, em que formas e sob que condições se combinam e quais são os efeitos constantes das combinações assim formadas. Tal é o método que procuramos seguir neste livro. Na primeira parte, destacamos os elementos do conhecimento; de redução em redução, chegamos aos mais simples e daí às mudanças fisiológicas que são a condição de seu nascimento. Na segunda parte, descrevemos primeiro o mecanismo e o efeito geral de sua montagem, depois, aplicando a lei encontrada, examinamos os elementos, a formação, a certeza e o alcance de nossos principais tipos de conhecimento."

É assim que Taine considera a constituição de uma psicologia científica no prefácio de seu livro *Da Inteligência*, publicado em 1871.[1] Pode-se observar o abandono decidido dos princípios de investigação psicológica estabelecidos por Maine de Biran. O ideal aqui é poder considerar o fato psíquico como "um movimento físico". E, em vista disso, vemos coexistir no mesmo texto o princípio puramente metodológico e incontestável do recurso à

---

1. *De l'Intelligence*, t. I, prefácio, p. 1 e 2. (N.A.)

experiência[1] ("pequenos fatos bem escolhidos etc.") e uma teoria metafísica, estabelecida *a priori*, da natureza e dos fins da experiência. Taine não se limita a prescrever uma larga utilização da experiência: ele determina, a partir de princípios incontrolados, *o que deve ser* essa experiência, descreve seus resultados antes de se reportar a ela, e essa descrição implica naturalmente uma série de asserções dissimuladas sobre a natureza do mundo e da existência em geral. Desde a leitura das primeiras páginas, suspeitamos que a psicologia de Taine, devido a essa contaminação original, será dedutiva e que os inúmeros fatos – aliás, quase todos falsos – que nos serão apresentados apenas vão ocultar o encadeamento puramente lógico das ideias.

A leitura do livro não faz mais que confirmar, infelizmente, essas previsões. Pode-se afirmar que em parte nenhuma se encontrará uma descrição concreta, uma anotação ditada pela observação dos fatos: tudo é construído. Taine emprega primeiro a análise regressiva e, por meio desse método, dá ingenuamente um salto, sem suspeitar, do plano psicológico ao plano fisiológico, que não é senão o terreno do mecanicismo puro. Depois passa à síntese. Mas por "síntese" deve-se entender aqui uma simples recomposição. Somos levados dos grupos relativamente simples aos grupos mais complexos, e o truque se completa: o fisiológico é introduzido na consciência:

"Não há nada de real no eu salvo a fila de seus acontecimentos. Esses acontecimentos, diversos em aspecto, são os mesmos em natureza e resumem-se todos à sensação; a própria sensação, considerada de fora e pelo meio indireto que chamamos a percepção exterior, reduz-se a um grupo de movimentos moleculares."[2]

E a imagem, elemento essencial da vida psíquica, também aparecerá nessa reconstrução: nela virá a ocupar um lugar de antemão determinado.

---

1. Ainda que a experiência seja aqui concebida de uma forma muito estreita. (N.A.)
2. *Idem, ibid.*, p. 9. (N.A.)

"Tudo o que, no espírito, ultrapassa 'a sensação bruta' resume-se a imagens, isto é, a repetições espontâneas da sensação."

Assim, a natureza mesma da imagem é deduzida *a priori*. Em nenhum momento nos reportamos aos dados da experiência íntima. Desde a origem, sabemos que a imagem é apenas uma sensação que renasce, ou seja, um "grupo de movimentos moleculares". Isso significa estabelecer a imagem como invariante inerte e, ao mesmo tempo, suprimir a imaginação. O espírito é um "polipeiro de imagens", tal é a constatação última da psicologia analítica. Mas Taine não viu que esse era também seu postulado inicial. Os dois grossos volumes de *Da Inteligência* não fazem mais que desenvolver fastidiosamente esta simples frase que citávamos mais acima:

"Nossa grande questão é saber quais são esses elementos, como nascem, em que formas e sob que condições se combinam..."

Uma vez estabelecido esse princípio, não havia necessidade senão de explicar como as imagens se combinam para dar origem aos conceitos, ao juízo e ao raciocínio. As explicações são naturalmente tomadas do associacionismo. No entanto, Hume, mais hábil, havia ao menos tentado constituir um fantasma de experiência. Ele não quis *deduzir*. Assim, suas leis de associação se estabelecem, ao menos aparentemente, no terreno da psicologia pura: são ligações entre os fenômenos *tais como aparecem* ao espírito. A confusão inicial de Taine entre a experiência e a análise leva-o a constituir um associacionismo híbrido que ora se exprime em linguagem fisiológica, ora em linguagem psicológica, ora nas duas línguas ao mesmo tempo; seu empirismo puramente teórico é acompanhado de um realismo metafísico. Donde esta contradição paradoxal: Taine, para constituir uma psicologia a partir do modelo da física, adota a concepção associacionista que, como mostrou Kant, resulta em uma negação radical de toda ciência legisladora.

Mas, ao mesmo tempo em que destrói sem suspeitar a ideia mesma de necessidade e a de ciência no terreno psicológico, ele mantém no terreno da fisiologia e da física um sistema de leis necessárias. E, como afirma que o fisiológico e o psíquico são apenas as duas faces de uma mesma realidade, segue-se que a ligação das imagens como fatos de consciência – a única que nos aparece – é contingente, ao passo que é necessária a ligação dos movimentos moleculares que os constituem como realidades físicas. Portanto, o que por muito tempo se tomou por um empirismo não é senão uma metafísica realista frustrada.

Mas as ideias de Taine, que seduziam por seu aspecto científico, recebiam confirmações de todos os lados. A pesquisa de Galton[1] trazia-lhes novas provas de fato. Ao mesmo tempo, de 1869 a 1885, Bastian, Broca, Küssmaul, Exner, Wernicke e Charcot fundam a teoria clássica da afasia, que tende a estabelecer nada menos que a existência de centros de imagens diferenciados: Déjerine ainda a sustenta em 1914. Outros psicólogos – como Binet em seu primeiro período[2] – tentam conquistar novos domínios para o associacionismo. A metáfora física que faz da imagem "a sobrevivência de um abalo à excitação que lhe deu origem" e a compara às oscilações pendulares produzidas durante muito tempo depois que o pêndulo foi afastado, por uma força estranha, de sua posição de equilíbrio – essa metáfora e muitas outras do mesmo tipo conhecem uma rara fortuna. Depois de S. Mill, Taine e Galton fixaram definitivamente a natureza da imagem: é uma sensação renascente, um fragmento sólido destacado do mundo exterior. Qualquer que seja a atitude que os psicólogos tomarão a seguir, eles sempre aceitarão implicitamente a ideia de que a imagem é uma revivescência. E mesmo os que pretenderão estabele-

---

1. Galton, Statistics of mental Imagery (*Mind*, 1880), *Inquiries into human faculties* (1885). (N.A.)
2. Binet, *Psychologie du raisonnement*, 1896. (N.A.)

cer a existência de sínteses psíquicas ainda assim manterão, a título de sobrevivência ou de elementos de sustentação, os átomos que lhes legou a psicologia de análise.

De fato, é *a partir* do associacionismo e *contra* ele que uma nova geração de filósofos vai definir sua posição por volta de 1880. Não se rejeitam as ideias de Taine ou de Mill para voltar à experiência interna. Contudo, sob a influência de diversos fatores, busca-se ultrapassá-las e conservá-las, ao mesmo tempo, numa síntese mais ampla. Entre as razões principais dessa mudança, convém citar o sucesso crescente do kantismo, do qual Lachelier se faz o defensor na França.[1] Desse ponto de vista, a questão que os filósofos se colocam poderia ser assim formulada: como conciliar no terreno da psicologia as exigências de uma crítica do conhecimento com os dados da experiência? Mas o significativo é que se consideram as descrições de Taine como os dados da experiência pura. Trata-se apenas de interpretá-los. Que existam imagens-átomos, ninguém duvida: é um *fato*. Que mesmo a experiência não revela diretamente senão essas imagens, muitos filósofos concordariam sem dificuldade. Só que, ao lado da questão de fato, há a questão de direito. Em direito deve haver outra coisa: um pensamento que organiza e ultrapassa a imagem a cada instante. Trata-se, pois, de reencontrar o direito por trás do fato.

Razões de uma ordem bem diferente militam, ademais, em favor desse ponto de vista: as ideias políticas e sociais mudaram. Desconfia-se agora do individualismo crítico por causa de suas consequências *morais*. Em política ele conduz à anarquia, leva ao materialismo e ao ateísmo, pois se produz, nessa época, uma forte reação conservadora na França. As ideias de ordem e de hierarquia social readquiriram toda a sua força. São acusados, na Assembleia de Ver-

---

1. Cf. Lachelier, *Psychologie et Métaphysique*. (N.A.)

salhes, os "pensadores do radicalismo... (que) não creem em Deus e nos escritos (nos quais) há definições sobre o homem que rebaixam nossa espécie".[1]

A Assembleia denuncia em bloco as "detestáveis doutrinas" radicais. A burguesia conservadora, assustada pela Comuna, volta-se para a Religião, como na primeira parte do reinado de Luís Felipe. Daí, para os intelectuais do poder, a necessidade de combater a tendência analítica do século XVIII em todos os domínios. É preciso colocar, acima do indivíduo, realidades sintéticas, a família, a nação, a sociedade. Acima da imagem individual, é preciso restabelecer a existência dos conceitos, do pensamento. Daí o tema proposto a um concurso, em 30 de abril de 1882, pela Academia das Ciências morais e políticas:

"Expor e discutir as doutrinas filosóficas que reduzem ao simples fato da associação as faculdades do espírito humano e o próprio eu. – Restabelecer as leis, os princípios e as existências que as doutrinas em questão tendem a desnaturar ou a suprimir."

Assim a ciência oficial dá a partida. No entanto, também desse ponto de vista, não se trata de negar a existência de imagens sensíveis e de leis de associação. Ferri, que foi laureado no concurso, escreve:

"Estamos tão persuadidos da importância da associação na produção dos conhecimentos que a questão para nós não é constatá-la, mas medi-la."

Ele chega mesmo a admitir que os dados da introspecção só nos fornecem imagens-átomos. A experiência está a favor dos associacionistas. É preciso colocar-se em um terreno crítico para ultrapassá-los:

"O pensamento puro não é uma ilusão porque se apreende ele próprio na consciência reflexiva dos procedimentos intelectuais e dos conceitos, mas sim *por um esforço de meditação e de abstração*. Na realidade, o cérebro nunca

---

[1]. *Rapport Batbie*, 26 de novembro de 1872.

cessa de trabalhar para ele, de fornecer-lhe os fantasmas visíveis, sonoros e tangíveis, os materiais sobre os quais ele imprime sua forma..."

Esse texto é significativo: nenhum outro poderia mostrar melhor as incertezas do conhecimento introspectivo. Um autor, cujo objetivo é refutar o associacionismo, está tão imbuído das teorias que quer combater que lhes concede o benefício da experiência e percebe nele mesmo apenas imagens particulares. A atividade do pensamento só lhe aparece após um *esforço de abstração*; ele afirma isso, de certo modo, *contra* a experiência. Trinta anos mais tarde, como veremos, cada um descobrirá ou acreditará descobrir, à vontade, estados não imagéticos no menor processo intelectual.

Sem dúvida, essa timidez provém em parte do enorme sucesso dos livros de Taine. Mas há outra coisa. A reação contra o associacionismo é conduzida antes de tudo pelo catolicismo conservador. Para este, a teoria da imagem tem um aspecto religioso que não é negligenciável. O homem é um misto, como diz Aristóteles, um pensamento intimamente unido a um corpo. Não há pensamento que não esteja manchado pelo corporal. A ideia cartesiana de um pensamento puro, ou seja, de uma atividade da alma que se exerceria sem o concurso do corpo, é uma heresia orgulhosa. É por causa dela que Maritain poderá aproximar Descartes dos protestantes. Volta-se a Aristóteles, portanto, que escreveu que não se poderia exercer atividade intelectual sem o amparo da imaginação[1]; volta-se a Leibniz que, embora protestante, sempre esteve bem mais próximo do pensamento católico do que um Descartes. Eis por que não se rejeita o associacionismo: é preciso apenas integrá-lo. O associacionismo é o corpo, é a fraqueza do homem. O pensamento é sua dignidade. Mas nunca há dignidade sem fraque-

---

1. Cf. Aristóteles, *De anima*, III, 8, 432 *a*, 8: "ο}ταν τε θεωρῆ, αφναϖγχη α{μα φανταϖσμᾶτι θεωρειν."(N.A.)

za, nunca há pensamento sem imagem. É nesse sentido que Peillaube escreverá em 1910 em seu livro sobre as imagens:

"As imagens são necessárias à formação dos conceitos, não há um único conceito que seja inato. A abstração tem precisamente por objetivo, em sua função original e geradora do inteligível, elevar-nos acima da imagem e permitir-nos pensar seu objeto sob uma forma necessária e universal. Nosso espírito não pode conceber diretamente outro inteligível senão o inteligível abstrato, e o inteligível abstrato só pode ser produzido da imagem e com a imagem pela atividade intelectual. Toda matéria suscetível de ser explorada pela inteligência é de origem sensorial e imaginativa..."

Eis aí, portanto, subitamente reaparecida, a doutrina leibniziana da relação da imagem com o pensamento. Na verdade, ela não tem aqui toda a profundidade que lhe foi dada por Leibniz, mas os autores invocam expressamente seu testemunho e é realmente ela que confere seu matiz particular à filosofia desse fim de século. É realmente de Leibniz que procede a ideia de um pensamento presente em toda parte e, no entanto, inacessível à experiência interna, concepção que já havíamos encontrado em Ferri e que Brochard vai precisar ainda mais:

"*Já que* o objeto pode ser mudado, *eu sei* que a imagem não se iguala a meu conceito. Além disso, o que o conceito contém é, segundo a expressão de Hamilton, um caráter de universalidade potencial. O pensamento, obrigado a revestir-se de uma forma sensível, aparece por um momento como sendo tal objeto, tal exemplo particular; ele repousa nessa forma, de certo modo, mas não se encerra nem se absorve nela; ele ultrapassa as imagens que o exprimem e é capaz de encarnar-se mais tarde em outras imagens mais ou menos diferentes."[1]

Chega-se, portanto, a uma curiosa concepção do pensamento. Este não tem existência real, concreta, acessível

---

. Brochard, *De l'erreur*, p. 151. Eu sublinho. (N.A.)

à consciência imediata, já que o dado da introspecção é a imagem. Não tem universalidade em ato, pois, se fosse assim, seria possível apreendê-lo diretamente. Mas é uma universalidade *potencial* que se *conclui* do fato de a palavra poder ser acompanhada de imagens muito diferentes. Através dessas imagens particulares, estende-se uma espécie de regra que dirige sua escolha. Mas não há "consciência da regra", no sentido em que a entenderá mais tarde a escola de Würzburg. A regra – que é o conceito – nunca se dá senão numa imagem particular e como simples possibilidade de substituir esta por uma outra imagem equivalente. Desse modo, o aspecto da consciência permanece aquele que Taine havia descrito: imagens, palavras. Porém, em vez da ligação de puro hábito que esse autor estabelece entre umas e as outras, Brochard e muitos de seus contemporâneos colocam uma ligação funcional: o pensamento. Se, graças a essa substituição, eles podem reintroduzir todo o racionalismo, mesmo assim esse pensamento estranho continua a flutuar, obscuro a si mesmo, entre a existência de direito e a existência de fato. Ou melhor: ele existe como função, mas não como consciência. Revela-se apenas por seus efeitos: não é sequer a passagem de uma imagem presente a uma outra imagem que o define, é a simples *possibilidade* de efetuar essa passagem. E se essa possibilidade não está atualmente presente à consciência é porque se trata de uma pura possibilidade lógica: quando muito se manifestaria à reflexão sob a forma de uma insuficiência da imagem como tal.

Essa é a tímida tentativa que faz o racionalismo renascente para combater o associacionismo. Ele se crê encerrado entre os pretensos dados da introspecção ("jamais haverá na consciência senão imagens e palavras") e as pretensas descobertas da fisiologia (as localizações cerebrais). Ele abandona a Taine, portanto, o terreno dos fatos e refugia-se no plano da crítica. Assim Leibniz respondia outrora a Locke: *Nihil est in intellectu qud non prius fuerit in sens nisi ipse intellectus*. Assim Kant respondia a Hume: "Pode ser que no terreno da experiência não se possa descobrir outra ligação entre a causa e o efeito senão a consecução empírica. Mas, para que uma experiência seja possível, é preciso que princípios sintéticos *a priori* a constituam."

Essa resposta, admissível quando se trata da constituição da experiência, não o é mais quando é preciso explicar, no interior dessa experiência, o pensamento. O pensamento de que se trata não é constituinte: é a atividade concreta do homem, fenômeno constituído em meio a outros fenômenos. Uma coisa é constituir minha percepção presente (uma sala, livros etc.) por sínteses categoriais que *tornem possível* a consciência, outra coisa é formar pensamentos conscientes sobre essa percepção *estando ela constituída* (por exemplo, pensar: os livros estão sobre a mesa, isto é uma porta etc.). No segundo caso, a consciência existe diante do mundo: portanto, se eu formo um pensamento sobre o mundo, é preciso que ele apareça a mim como fenômeno psíquico real. Não basta aqui haver "virtualidade", nem "possibilidade": a consciência é ato, e tudo o que existe na consciência existe em ato.

Seja como for, não parece haver dúvida de que essa nova atmosfera e essas reivindicações dos direitos da síntese diante da associação mecânica contribuíram fortemente para a formação de Ribot, o fundador da psicologia de síntese. Com certeza, não é o kantismo que inspira Ribot; muito menos ele é orientado por preocupações religiosas. Seu único cuidado é revisar a noção tainiana de "psicologia científica". Para ele, a ciência é certamente análise, mas é também síntese; não basta reduzir tudo aos elementos: há sínteses na natureza que devem ser estudadas como tais. À primeira vista, portanto, o ponto de partida de Ribot parece ser uma reflexão sobre a insuficiência do método dos psicólogos ingleses e de Taine. Mas a ideia mesma de síntese psíquica, não a toma ele emprestada da corrente de pensamento que na época consagra um renascimento do intelectualismo? É bastante curioso comparar ao texto de Brochard que acabamos de citar o que Ribot escrevia em 1914:[1]

"O pensamento é uma função que, ao longo da evolução, acrescentou-se às formas primárias e secundárias do conhecimento: sensações, memória, associação. Em consequência de quais condições ele pôde nascer? Sobre esse ponto, pode-se apenas arriscar hipóteses. Seja como for, ele fez sua aparição, fixou-se, desenvolveu-se. Porém, como uma função só pode entrar em atividade sob a influência de excitações que lhe são apropriadas, a existência de um pensamento puro trabalhando sem nada que o provoque é *a priori* inverossímil. Reduzido a si mesmo, é uma atividade que dissocia, associa, percebe relações, coordena. Pode-se mesmo supor que essa atividade é, por sua natureza, inconsciente e só adquire a forma consciente pelos dados que elabora... Para concluir, a hipótese de um pensamento puro sem imagens e sem palavras é muito pouco provável e, em todo caso, não está provada."

Acreditaríamos estar lendo o texto mesmo de Brochard, mas traduzido em uma linguagem biológica e pragmatista. Ribot, como Brochard, mantém a existência de sensações e de imagens ligadas entre si por leis de associação. São as "formas primárias e secundárias do conhecimento". Como ele, faz disso os dados imediatos da introspecção. Quanto ao pensamento, também ele o considera como inacessível à consciência intuitiva. Contudo, para Brochard, se o pensamento não se revela à intuição, é porque ele é "potencial"; é uma equivalência funcional de imagens muito diferentes. Já Ribot exprime-se em termos decididamente coisistas. O pensamento é uma atividade real, mas inconsciente. "Ele

---

[1]. Ribot, *La vie inconsciente et les mouvements*, p. 113 e ss. Nessas páginas, Ribot tenta refutar as conclusões dos psicólogos de Würzburg sobre a existência de um pensamento sem imagem. (N.A.)

só adquire a forma consciente pelos dados experimentais que elabora." E, satisfeito com essa noção obscura e contraditória de pensamento inconsciente, esse psicólogo *positivista* conclui *a priori* que a existência de um pensamento puro acessível à consciência é inverossímil. Percebe-se quão profunda é a influência de Taine: profunda a ponto de conduzir um psicólogo experimental a negar resultados experimentais em nome de deduções puras.[1] Para toda essa geração, o associacionismo continuará sendo o dado de fato e o pensamento será apenas uma hipótese necessária para explicar uma "organização", uma sistematização muito difícil de explicar pela pura associação. E o positivismo de Ribot, em vez de procurar descrever a imagem como tal, vai se exercer em sentido oposto, inventando a noção biológica de um pensamento inconsciente "surgido" ao longo da evolução.

Vemos o que significa essa ideia de "síntese", pela qual Ribot diferencia-se de Taine. É uma ideia fisiológica: o homem é um organismo vivo no seio do mundo e o pensamento é um órgão que certas necessidades desenvolveram; assim como não há digestão sem alimentos, não há pensamento sem imagens, isto é, sem materiais vindos do exterior. No entanto, assim como os progressos da fisiologia fizeram considerar a digestão como um todo funcional, assim também a psicologia nova deve, a partir dos materiais brutos ou elaborados que são os únicos conscientes, reconstituir a unidade sintética do órgão que os elabora. E, assim como a fisiologia sintética não exclui o determinismo, assim também a psicologia nova, considerando a atividade psíquica de síntese como uma função biológica, será decididamente determinista. Reencontramos aqui, portanto, o tema leibniziano da inseparabilidade do pensamento e da imagem, mas decaído, rebaixado ao nível do coisismo materialista: o homem é uma coisa viva, a imagem é uma coisa, uma coisa também é o pensamento.

---

[1] De fato, Ribot contestará o valor das experiências de Würzburg. (N.A.)

Nada faz perceber melhor esse rebaixamento do que o livro de Ribot sobre *A imaginação criadora*. Nesse livro, ele tenta analisar o mecanismo da criação de imagens novas. Mas, naturalmente, o problema é colocado nos mesmos termos que Taine teria empregado: ele se pergunta de que maneira, a partir das imagens fornecidas pela lembrança, podem constituir-se conjuntos novos ou "ficções". E começa, certamente, por afirmar os direitos da síntese:

"Toda criação imaginativa exige um princípio de unidade." Mas esse princípio, que ele chama, sem muita preocupação de coerência, "centro de atração e ponto de apoio" e que concebe como uma ideia-emoção fixa", serve apenas, em última análise, de regulador para processos simplesmente mecânicos.

Portanto, haverá primeiro dissociação: a imagem do objeto exterior submete-se a um trabalho de desmembramento. As causas da dissociação são "internas e externas". As primeiras ou "subjetivas" são: 1) a seleção tendo em vista a ação; 2) causas afetivas "que governam a atenção"; 3) razões intelectuais, "designando por esse nome a lei de inércia mental ou lei do menor esforço".[1] As causas externas são as "variações da experiência" que apresenta tal objeto, ora provido ora privado de uma certa qualidade: "O que foi associado ora a uma coisa, ora a uma outra, tende a se dissociar das duas".

Essa dissociação libera um certo número de elementos imagéticos que agora poderão associar-se para formar conjuntos novos. Abordamos a segunda parte do problema:

"Quais são as formas de associação que dão lugar a combinações novas e sob que influência elas se formam?" Percebe-se que Ribot a formula em termos de associação. As associações podem ser orientadas, dirigidas de fora, mas seria preciso um milagre para suspender suas leis, assim como para suspender a lei da gravidade. Em suma, do mes-

---

1. Cf. *L'imagination créatrice*, p. 17 e ss. (N.A.)
2. *Idem, ibid.*, p. 20. (N.A.)

mo modo que alguns economistas propuseram substituir o liberalismo econômico, que os empiristas ingleses pregavam, por uma economia dirigida, pode-se dizer que Ribot substitui o associacionismo livre de Taine e de Mill por um *associacionismo dirigido*.

Há três fatores de associação criadora: um fator "intelectual", um fator "afetivo", um fator "inconsciente".

O fator intelectual é a "faculdade de pensar por analogia": "Entendemos por analogia uma forma imperfeita de semelhança. O semelhante é um gênero do qual o análogo é a espécie."

Sobre o fator afetivo ou "emocional", Ribot pouco se explica em *A imaginação criadora*. Mas ele volta ao assunto em *A lógica dos sentimentos*: há primeiramente aquilo que os psicanalistas vão chamar de "condensação": "Os estados de consciência se combinam porque há entre eles um sentido afetivo comum".[1] Convém assinalar também a transferência:

"Quando um estado intelectual foi acompanhado de um sentimento intenso, um estado semelhante ou análogo tende a suscitar o mesmo sentimento (...) quando estados intelectuais coexistiram, o sentimento ligado ao estado inicial, se é intenso, tende a se transferir aos outros."

Portanto, poderá haver condensação, depois transferência, depois outra vez condensação e, nesse ritmo binário, elementos imagéticos que não tinham primitivamente nenhuma relação serão aproximados e fundidos em um conjunto novo. Quanto ao fator inconsciente, ele não é de uma natureza distinta dos fatores precedentes: é intelectual ou afetivo, só que não é diretamente acessível à consciência.

Na verdade, era indispensável que Ribot recorresse ao inconsciente, pois nenhum dos fatores que ele considera aparece à consciência. Nunca temos consciência de dissociação, nunca temos consciência de combinações novas: as

---

1. *La logique des sentiments*, p. 22. (N.A.)

imagens surgem de repente e se dão imediatamente pelo que elas são. É preciso, pois, supor que todo o trabalho se produz fora da consciência. Nem as associações nem os fatores sintéticos aparecem para nós: todo esse mecanismo criador é uma pura hipótese. Ribot, como Taine, não se preocupa, portanto, em descrever os fatos. Ele começa pela explicação. A psicologia de síntese, em seu começo, permanece teórica como a psicologia de análise. Limita-se simplesmente a complicar as deduções abstratas, acrescentando um fator nas combinações; busca constituir a psicologia a partir do modelo da biologia, como a outra tentava construí-la a partir do modelo da física. Quanto à imagem, ela permaneceu para Ribot exatamente o que era para Taine. Ela continuará por muito tempo inalterada.

É no fim do século, porém, que se produz o que se convencionou chamar uma revolução filosófica. Em seus dois livros, *Ensaio sobre os dados imediatos da consciência* e *Matéria e memória*, publicados sucessivamente em 1889 e 1896, Bergson coloca-se como adversário decidido do associacionismo: a concepção clássica da afasia e das localizações cerebrais não resiste à crítica; a imagem-lembrança é outra coisa e algo mais que uma simples revivescência cerebral; o cérebro não poderia ter por função armazenar as imagens; a percepção é um contato direto com a coisa; enfim, a noção de síntese psíquica, introduzida por Ribot, será radicalmente transformada: a síntese não é um simples fator de regulação; toda a consciência é síntese, é o modo mesmo da existência psíquica; não há mais fragmentos sólidos no fluxo da consciência, não há mais justaposição de estados; a vida interior apresenta-se como uma multiplicidade de interpenetração, ela *dura*. Todas essas afirmações célebres parecem chamadas a renovar a psicologia da imagem. De fato, muitos acreditaram nisso, e existe toda uma literatura sobre o problema bergsoniano da imagem. Citemos apenas o artigo de Quercy, "Sobre uma teoria bergsoniana da imagem"[1], e o de Chevalier e Bouyer, "Da imagem à alucinação".[2] No entanto, um exame atento das concepções de Bergson mostra-nos que ele aceita, apesar do uso de uma terminologia nova, o problema da imagem em seu aspecto clássico e que a solução oferecida por ele não traz absolutamente nada de novo.

Bergson está longe de considerar esse problema como puro psicólogo: em sua teoria da imagem reconhecemos toda a sua metafísica e devemos criticar inicialmente esse ponto de partida metafísico se quisermos compreender o papel que ele atribui à imagem na vida do espírito.

Como os empiristas que ele combate, como Hume, como os neorrealistas, Bergson faz do universo um mundo de imagens. Toda realidade tem um "parentesco", uma "analogia", uma certa relação com a consciência; e é por isso que todas as coisas que nos cercam são chamadas imagens. Porém, enquanto Hume reserva o nome de imagem à coisa na medida em que é percebida, Bergson o estende a toda espécie de realidade: não é apenas o objeto do conhecimento atual que é imagem, é todo objeto possível de uma representação.

"Uma imagem pode *ser* sem *ser percebida*; pode estar presente sem estar representada."[3]

A representação nada acrescenta à imagem; não lhe comunica nenhum caráter novo, nenhum *algo mais*: ela já existe de fato, virtual e neutralizada, antes de ser representação consciente; já está na imagem. Para que exista em ato, é preciso que possa ser isolada das imagens que reagem sobre ela, é preciso que, "em vez de permanecer encaixada no ambiente como uma coisa, destaque-se dele como um quadro".[4]

---

1. *Annales médico-psychologiques*, 1925. (N.A.)

2. *Journal de psychologie*, 15 de abril de 1926. Ver também uma tentativa de interpretação bergsoniana das alucinações, *in* Lhermitte, *Le Sommeil*. (N.A.)

3. *Matière et Mémoire*, p. 22. (N.A.)

4. *M. et M.*, p. 24. (N.A.)

Assim, não há mais razão de distinguir, com Descartes, entre a coisa e a imagem da coisa para examinar a seguir como se estabelece uma relação entre essas duas existências; nem de reduzir, com Berkeley, a realidade da coisa à da imagem consciente; nem de reservar, com Hume, a possibilidade de uma existência em si da realidade, sendo a imagem, aliás, a única conhecida. Para o realismo bergsoniano, a coisa *é* a imagem, a matéria é o conjunto das imagens:

"Para as imagens há uma simples diferença de grau, mas não de natureza, entre *ser* e ser conscientemente percebidas."

Vale dizer que todo o conjunto da realidade é dado primeiramente como participando da consciência, ou melhor, como *consciência*: caso contrário, essa realidade jamais poderia *tornar-se* consciente, isto é, adquirir um caráter que seria estranho à sua natureza. Bergson não pensa que a consciência exige necessariamente um correlato, ou, para falar como Husserl, que uma consciência é sempre consciência *de* alguma coisa. A consciência aparece nele como uma qualidade, um caráter dado, quase uma espécie de forma substancial da realidade; ela não pode nascer onde não está, nem começar, nem terminar de ser. Em contrapartida, ela pode existir no estado puramente virtual, sem ser acompanhada de ato algum, nem mesmo de alguma manifestação de sua presença. Bergson definirá essa realidade dotada de uma qualidade secreta como sendo o inconsciente. Mas o inconsciente que aparece aqui é precisamente da mesma natureza que a consciência: não há não consciente para Bergson, há apenas consciência que se ignora. Não há opacidade que se oponha à luz e a receba, constituindo assim um objeto iluminado: há luz pura, fosforescência, sem matéria iluminada; só que essa luz pura, difusa em toda parte, somente se torna atual ao refletir-se sobre certas superfícies que servem ao mesmo tempo de anteparo em relação às outras zonas luminosas. Há uma espécie de inversão da comparação clássica: em vez de a consciência ser uma luz que vai do sujeito à coisa, é uma luminosidade que vai da coisa ao sujeito.

Esse centro de reflexão e de obscuridade, que atualiza a consciência virtual, é o corpo. É ele que, isolando certas imagens, as transforma em representações atuais. Como se opera essa passagem?

Não temos necessidade de deduzir a consciência, diz Bergson, uma vez que, ao afirmarmos o mundo material, damo-nos um conjunto de imagens. Não há que se engendrar a consciência a partir da coisa se, em sua existência mesma, a coisa já é consciência. Entretanto, por ter mudado os termos do enunciado, Bergson não suprimiu, como acredita, o problema: resta compreender como se passa da imagem não consciente à imagem consciente, como o virtual pode atualizar-se. É inteligível que basta separar uma imagem do resto das imagens para dar-lhe subitamente essa transparência, essa existência para si, que a faz consciência? Ou então, sustentando que ela a possuía anteriormente, é admissível que essa transparência não tenha existido nem para si nem para algum sujeito? Bergson considera negligenciável essa característica essencial do fato de consciência que é aparecer precisamente como consciente; e, por ter confundido o mundo com a consciência, tomada como uma qualidade quase substancial, também ele reduz a consciência psicológica a ser apenas uma espécie de epifenômeno cuja aparição se pode descrever, mas que não se explica.

Em particular, como é que essa consciência inconsciente e impessoal torna-se consciência consciente de um sujeito individual? E como, ao se fazerem "presentes", as imagens virtualmente representadas envolvem subitamente a existência de um "Eu"? É o que Bergson não explica. No entanto, toda a teoria da memória está fundada sobre a existência de tal sujeito e sobre a possibilidade que ele tem de apropriar-se de certas imagens e de conservá-las.

O corpo age como instrumento de seleção; graças a ele, a imagem torna-se percepção; a percepção é a imagem "relacionada à ação possível de uma certa imagem determinada" que é justamente o corpo. Mas como é que essa relação cria a aparição de um sujeito que chamará esse corpo de "*meu*" corpo e as outras imagens de "*minhas* representações"?

"Deem-me as imagens em geral", diz Bergson, "e meu corpo acabará por desenhar-se no meio delas como uma coisa distinta, já que elas mudam constantemente e ele permanece invariável."

A explicação é esquisita: o movimento e a imobilidade individualizam certamente a matéria, para falar como Descartes, ou as "imagens", como diz Bergson. Mas eles deixam certamente à natureza sua materialidade, à imagem seu caráter de imagem; o imóvel não aparece como "central"; um "centro" não aparece como agindo, e sobretudo a própria ação, sendo sempre uma imagem, não faz nascer um sujeito que "relaciona a si as ações".

Mas sem dúvida não é isso exatamente o que Bergson quer dizer; na realidade, é preciso supor, entre as imagens, a presença de um espírito que se define como uma memória. Esse espírito faz, entre as imagens que recolhe, comparações, sínteses, e é ele que distingue *seu* corpo das outras imagens em volta. De fato:

"Uma vez percebidas, as imagens se fixam e se alinham na memória."

Mas isso é colocar-nos no centro de dificuldades insolúveis.

Em primeiro lugar, se tudo é consciência, o que pode ser *uma* consciência? É ela atividade e unidade, realidade distinta de todas as outras e capaz de *tomar* consciência? Mas então seria abusivo chamar de "consciência" as realidades passivas que a consciência pode apreender, e voltaríamos a uma metafísica que parte não do mundo como consciente, mas das consciências diante de um mundo. É ela individualizada por seu conteúdo, o qual é selecionado pelo corpo ao qual está unida? Mas então não se compreende mais de que maneira o corpo, com as imagens relacionadas a ele, distingue-se dos outros corpos com as outras imagens que os cercam, já que as relações de ação da imagem-corpo com as outras imagens são elas próprias imagens.

É a essa segunda solução, porém, que Bergson vai se ater.

Mas eis aqui uma outra dificuldade. Como se transforma a imagem em imagem-lembrança? A imagem é, em suma, uma *coisa* isolada pelo corpo e à qual seu isolamento confere uma qualidade nova: a de ser representada. Mas como pode a imagem, quando a ação do corpo cessa, permanecer isolada e conservar seu caráter de representação? A mesa deveria voltar a ser mesa virtualmente consciente tão logo cesso de olhá-la, pois ela recupera suas relações com todas as outras imagens do universo; portanto, como ela pode continuar sendo ao mesmo tempo mesa em minha memória? Não seria isso, então, que a representação não se define apenas pelo isolamento da imagem, mas que ela aparece como uma existência radicalmente distinta da *coisa*? A passagem do primeiro ao segundo capítulo de *Matéria e Memória* é operada por meio de um puro sofisma: a imagem-representação é, de início, uma imagem idealmente isolada e realmente ligada a todas as outras; depois, ao tornar-se uma imagem-lembrança, vemos seu isolamento ideal transformar-se em isolamento real, ela se destaca do mundo e transforma-se no espírito. Bergson é enganado pela comparação material da imagem com um quadro: ele se assemelha a um homem que, tendo isolado um trecho de paisagem para examiná-lo através de uma objetiva, quisesse levar não apenas a objetiva, mas também o trecho de paisagem que isolou. Toda a teoria bergsoniana da memória está fundada sobre o sofisma que explica seu caráter realista: essa imagem-quadro que a memória leva consigo, precisamente como se leva um quadro despregado da parede (a memória "acumula as imagens ao longo do tempo à medida que elas se produzem"), Bergson não esquece que ela é também a imagem-coisa, encaixada nas outras imagens e existindo sem ser percebida, de modo que, jogando com o duplo sentido da palavra "imagem", ele dá à imagem-lembrança toda a plenitude do objeto; mais ainda, é o próprio objeto concebido segundo um novo tipo de existência.

A formação da lembrança, portanto, é contemporânea à da percepção; é ao tornar-se representação, no momento mesmo em que é percebida, que a imagem-coisa transforma-se em lembrança:

"A formação da lembrança nunca é posterior à da percepção, é contemporânea. À medida que a percepção se cria, sua lembrança perfila-se a seu lado."[1]

A lembrança assim constituída "é imediatamente perfeita; o tempo nada poderá acrescentar à sua imagem sem desnaturá-la; ele conservará para a memória seu lugar e sua data."[2]

A concepção da imagem que Bergson propõe aqui está longe de ser tão diferente quanto ele afirma da concepção empirista: tanto para ele como para Hume, a imagem é um elemento de pensamento exatamente aderente à percepção, apresentando a mesma descontinuidade e a mesma individualidade que esta. Em Hume, ela aparece como um enfraquecimento da percepção, um eco que a acompanha no tempo; Bergson faz dela uma sombra que duplica a percepção: em ambos os casos, ela é um exato decalque da coisa, opaca e impenetrável como a coisa, rígida, imobilizada, coisa ela mesma.

"As imagens, de fato, nunca serão mais que coisas..."

E por isso veremos que o papel da imagem na vida do espírito aproxima-se muito, em Bergson, do que ela desem-

---

1. "Le souvenir du présent", in *L'Énergie spirituelle*. (N.A.)
2. *M. et M.*, p. 80. (N.A.)

penha aos olhos dos empiristas. É que aqui também a imagem foi primeiramente definida como "imprimindo-se" no espírito, como um conteúdo do qual a memória é apenas o receptáculo, e não como um momento vivo da atividade espiritual.

Bergson insiste, no entanto, em observar que estabeleceu, ao contrário dos empiristas, uma diferença de natureza – não de grau apenas – entre percepção e lembrança. Mas essa distinção, aliás mais metafísica do que psicológica, colocará novos problemas. Já vimos o que ela é: a percepção é a imagem relacionada à ação possível do corpo, mas ainda continua encaixada entre as outras imagens; a lembrança é a imagem isolada, destacada das outras como um quadro. Toda a realidade possui ao mesmo tempo estas duas características: ela dispõe o corpo à ação e ela se deposita no espírito como lembrança inativa.

"O presente desdobra-se a todo instante, em seu próprio jorro, em dois jatos simétricos, um dos quais recai no passado enquanto o outro se lança no futuro."[1]

Portanto, há entre a lembrança, inativa, ideia pura, e a percepção, atividade ideomotora, uma diferença profunda. Contudo, além de essa distinção não nos permitir discriminar na vida concreta a lembrança *atualizada* (a imagem dessa mesa que *re*aparece) da percepção, é impossível compreender o que significa esse desdobramento perpétuo do presente, assim como era impossível, há pouco, saber como um isolamento provisório da coisa faz dela bruscamente uma representação: a metáfora do duplo jorro marca um mesmo sofisma fundamental.

Com efeito, o que é o presente? "Meu presente é, por essência, sensório-motor." É "um corte" que a percepção pratica numa massa que está escoando. Esse corte é precisamente "o mundo material". É ainda "uma coisa absolutamente determinada e que contrasta com o meu passado".

---

1. *L'Énergie spirituelle*, "Le Souvenir du présent". (N.A.)

A insuficiência metafísica de uma semelhante definição do presente e o círculo vicioso que ela implica (pois esse presente pragmático necessita de um presente ontológico que o torne possível) saltam aos olhos. Mas a crítica dessa definição não faz parte de nosso tema. Aceitemo-la como se oferece: devemos observar de imediato que um presente que é *ação pura* não poderia, por nenhum desdobramento, produzir um passado inativo, um passado que é *ideia pura* sem ligação com os movimentos e as sensações. Quer consideremos a relação *ação/lembrança* no sujeito ou a relação *imagem-coisa/imagem-lembrança* no objeto, reencontramos o mesmo hiato entre duas espécies de existência que Bergson insiste em afirmar como distintas (já que ele busca separar o espírito da matéria, a memória do corpo) e que, no entanto, quer reduzir à unidade: para justificar essas duas operações contraditórias, ele recorreu a um sincretismo da consciência e da matéria. Contudo, por ter constantemente confundido o noema e a noese,[1] ele foi levado a dotar essa realidade sincrética que denomina *imagem* ora de um valor de noema, ora de um valor noético, segundo as necessidades de sua construção. Nenhuma unificação, mas uma ambiguidade perpétua, um deslizar perpétuo e sem boa-fé de um domínio a outro.

Assim, Bergson tentou explicar o que os empiristas tomavam como um dado: a existência de imagens que nascem da percepção. Acabamos de ver que ele fracassou. Mas a posição que tomou o obriga a resolver um novo problema: como pode a imagem se reintroduzir no mundo sensório-motor do corpo e da percepção? Como o passado se torna presente?

A imagem-quadro continua realmente na memória; tal como as imagens-coisas, ela pode ser ou atualmente

---

[1]. Ver mais adiante, em nosso capítulo sobre Husserl, o sentido dessa distinção que deve se impor a todos os que consideram a relação da consciência com o mundo. (N.A.)

consciente ou virtual, o que para ela vem a ser o estado de inconsciência. Em sua imensa maioria, nossas lembranças são inconscientes: como é que elas voltam à consciência?

Sobre esse ponto, há em Bergson duas teorias inconciliáveis e que, no entanto, nunca se distinguem nitidamente: uma tem sua raiz na psicologia, no biologismo bergsoniano; a outra responde às tendências metafísicas, ao espiritualismo bergsoniano.

A primeira aparece inicialmente como bastante clara: o que é atual é o presente; o presente é definido pela ação do corpo. Evocar uma lembrança é tornar presente uma imagem passada, mas a imagem evocada não é uma simples ressurreição da imagem armazenada, sem o que não se compreenderia, a propósito de um rosto do qual tenho uma série de lembranças distintas que correspondem à multiplicidade das percepções, de que maneira evoco uma imagem única, que pode inclusive não coincidir exatamente com nenhuma das lembranças registradas. Para que a imagem reapareça à consciência, ela precisa inserir-se no corpo; a imagem psicológica, consciente, é uma encarnação no corpo e em seus mecanismos motores da lembrança pura, inativa, não percebida, que existia no inconsciente. Viver, para o espírito, é sempre "inserir-se nas coisas por intermédio de um mecanismo". A lembrança é submetida a essa condição; no estado puro, ela é "nítida, precisa, mas... sem vida"; assemelha-se às almas de que fala Platão, que devem deixar-se cair num corpo para poderem atualizar-se: ela é virtual, impotente. Portanto, para tornar-se presente, ela precisa inserir-se numa atitude corporal; chamada do fundo da memória, desenvolve-se em lembranças-imagens que se inserem num esquema motor e torna-se, então, uma realidade ativa, uma imagem. Nesse sentido: "A imagem é um estado presente e só pode participar do passado pela lembrança da qual saiu". E Bergson insiste no papel do movimento, mostrando que toda imagem, visual, auditiva etc., é sempre acompanhada de um esboço de movimentos, da criação de esquemas motores. Se nos limitássemos a essa teoria, a imagem apareceria como uma construção presente, como a consciência de uma atitude definida presentemente por movimentos do corpo. Disso resultariam duas consequências: primeiro, nada distinguiria a imagem da percepção, que é igualmente uma atitude presente, e a imagem seria, como a percepção, ação e não conhecimento; segundo, a imagem não seria uma lembrança, mas uma criação nova que responde às atitudes sempre novas do corpo.

Contudo, se a consciência é definida por Bergson de uma forma vitalista, como uma atualidade resultante da atitude corporal, ela representa também para ele a margem que separa a ação do ser que age, o poder de escapar ao presente e ao corpo, a memória. Donde a segunda orientação de sua teoria das imagens: a lembrança não é apenas consciente como presente, mas também como passado. É assim que, em seu artigo sobre "A lembrança do presente", Bergson, como vimos, admite que no momento em que percebemos um objeto podemos ter uma lembrança dele, do que resulta o fenômeno conhecido pelo nome de paramnésia. Nesse caso, evidentemente, a atualidade da lembrança não é definida pelo corpo, já que a representação que nasce da atitude corporal diante de um objeto chama-se *percepção*: a lembrança possui aqui uma consciência *sui generis* que lhe permite estar *presente* como lembrança, enquanto a percepção está *presente* como percepção.

Nesse caso, o corpo não aparece como útil à lembrança de uma maneira positiva: apenas lhe é pedido que não impeça a lembrança de aparecer; não se trata mais de inserir a lembrança no corpo, mas de suprimir, por assim dizer, o corpo, como acontece no sono quando a tensão do sistema nervoso diminui. O sonho e os fenômenos de hipermnésia mostram a riqueza de imagens que pode acompanhar esse aniquilamento fisiológico.

Mas se a consciência, de acordo com essa segunda teoria, está diretamente ligada ao espírito, o poder que o corpo possui de desviar a consciência do espírito, de fazê-la aderir à ação, torna-se impensável; não se compreende mais em absoluto o que impede as imagens-lembranças de serem perpetuamente conscientes.

Eis por que, como indicamos, Bergson conservou ao mesmo tempo as duas teorias: é o corpo que faz a atualidade da lembrança, que a faz passar para a consciência clara, porém é a lembrança que faz da percepção, simples esquema motor, uma representação consciente. Como se opera exatamente essa junção?

A percepção, a ação presente criam o esquema motor, mas o que determina uma lembrança a inserir-se nele é uma espécie de força que pertence a essa lembrança como algo de próprio; com efeito, embora esta seja inativa, Bergson atribui-lhe tendências, forças tão mágicas quanto os poderes de atração que Hume atribuía às imagens. As imagens, em Bergson, buscam "manifestar-se em plena luz", sendo preciso um esforço para "inibir seu aparecimento"; assim que há repouso, "as lembranças imóveis, sentindo que acabo de afastar o obstáculo, de erguer o alçapão que as mantinha no subsolo da consciência, põem-se em movimento". É por uma verdadeira tensão que o corpo recalca o aparecimento da totalidade das lembranças que desejariam e, de direito, poderiam todas existir. Essas metáforas são, no mínimo, infelizes. O que vem a ser, então, o papel de anteparo e de refletor que primitivamente fora dado ao corpo? E o que fazemos da definição famosa: "O inconsciente é o inativo"? Bergson parece ter esquecido isso quando descreve longamente a "dança" à qual se entregam as lembranças.

Aliás, de onde vem às lembranças esse apetite de uma existência atual? O passado, segundo Bergson, é pelo menos tão real quanto o presente, que é apenas um limite; uma representação inconsciente existe de maneira tão plena quanto uma representação consciente; de onde vem então esse ardor de encarnar-se num corpo cuja natureza lhe é estranha e do qual, para existir, ela não tem nenhuma necessidade? Por que, em vez de serem inertes ou indiferentes, as lembranças estão "à espera... quase atentas?" De modo geral, atribuir a elementos descontínuos, a conteúdos de consciência que inicialmente foram separados com cuidado da consciência total, uma atividade concebida segundo o modelo da atividade espiritual é expor-se a fazer intervir noções físico-mágicas perfeitamente impensáveis.

Quanto ao apelo que a percepção "lança" à lembrança, a natureza dele não é mais clara. A percepção não é uma representação, mas um esquema motor, e este se esforça por constituir a imagem que vem aderir à percepção. Mas, aqui também, por que a percepção, que por natureza é atividade e não especulação, se esforça por transformar-se em representação? E sobretudo, se a percepção não é representação, se a lembrança é apenas o exato decalque, a sombra da percepção, *de onde pode brotar a representação*? "É a lembrança", diz Bergson, "que nos faz ver e ouvir. A percepção seria incapaz de evocar a lembrança que se assemelha a ela." E, de fato, seria preciso que ela já tivesse tomado forma, mas a forma não vem senão da lembrança. A percepção é a imagem relacionada a uma certa atitude do meu corpo; essa atitude é primeiramente muito geral e só responde a determinações muito exteriores do objeto; é pela lembrança que ela se aprofunda, que ela adquire uma significação. Mas de onde as formas e as significações primeiras podem vir é o que Bergson não diz em parte alguma. Aliás, se "perceber é lembrar", como ele explica longamente em *Matéria e Memória*, tomando desta vez percepção não no sentido puro, mas no sentido de representação no presente, é preciso admitir, das duas, uma: ou a imagem, contrariamente ao que é dito em outra parte, não traz em si a marca de sua origem passada e se dá como presente, ou então a percepção se dá necessariamente como uma imagem vinda do passado. Vemos, mais uma vez, que entre *a imagem-lembrança*, fragmento do passado encarnado em um esquema motor presente, e *a percepção*, esquema motor presente no qual se encarna uma lembrança passada, não poderia haver uma real diferença. Apesar de seus esforços, Bergson não consegue distingui-las e reencontramos, no fundo dessas teorias especiosas, a simples afirmação dos empiristas: a imagem e a percepção não diferem em natureza, mas somente em grau. Assim, após ter cuidadosamente distinguido imagem e percepção no plano metafísico, Bergson é obrigado a confundi-las no plano psicológico.

Resta determinar que papel essa imagem-lembrança vai desempenhar na vida do espírito. Já vimos que Bergson é levado a concebê-lo como os associacionistas, pois, tanto para estes como para ele, a imagem é um elemento fixo, uma coisa. E certamente Bergson combateu com força a concepção associacionista, mas ele não compreendeu que o associacionismo sempre terá razão contra os que lhe concedem que a imagem é uma coisa, mesmo se diante dessa coisa eles restabelecem o espírito. Não viu que o único meio de acabar com essa doutrina invasora é voltar à imagem e provar que esta é radicalmente diferente de um objeto. Assim, ele flexibilizou a noção de consciência, tentou restituir-lhe a fluidez, a espontaneidade da vida, mas o que fez foi em vão: ele deixou subsistir no seio da duração pura essas imagens inertes, como paralelepípedos no fundo da água. E tudo tem de ser recomeçado.

Não é que não haja uma crítica cerrada ao associacionismo em seus livros. Ele ataca primeiro as ideias de semelhança e de contiguidade concebidas como forças suaves: as imagens, tomadas em si mesmas, não possuem, diz ele, o poder misterioso de atraírem-se umas às outras, pois suas ligações vêm da ação na qual se inserem, do corpo. Toda percepção prolonga-se em reações motoras que utilizam os mecanismos motores montados por percepções análogas, essas reações provocam outras reações que lhes foram anteriormente coordenadas, e assim por diante: tal é a origem das ligações de semelhança e de contiguidade que se reduzem, portanto, a ligações mecânicas do corpo, à memória do corpo ou memória-hábito. Do mesmo modo, a ideia geral não é o resultado de uma sobreposição de imagens individuais; ela é vivida antes de ser pensada, é precisamente uma reação de conjunto a uma situação total, e é a similitude das reações correspondentes a diversas situações que constitui sua generalidade. Assim, o espírito não começa por formar imagens que se reuniriam a seguir para produzir conceitos e ligações particulares; a percepção nos fornece sínteses que só posteriormente se dissociam em imagens:

"A associação, portanto, não é o fato primitivo; é por uma dissociação que começamos, e a tendência de toda lembrança a agregar-se a outras explica-se por um retorno natural do espírito à unidade indivisa da percepção."[1]

Mas como se pode efetuar esse desmembramento? A questão é importante, pois Bergson concebe a vida do espírito como oscilando entre dois polos: o da percepção sintética, que define o presente, e aquele em que as imagens estão expostas exteriormente umas às outras; compreender, inventar, lembrar – pensar de um modo geral – é sempre passar de um polo a outro por planos intermediários, menos concentrados do que o primeiro, menos dilatados do que o segundo; viver, para o espírito, não é reunir elementos separados, mas contrair ou dilatar um conteúdo sintético sempre dado em sua totalidade. Como se explica, então, a existência desses diferentes planos de consciência e, em particular, como é que o plano do passado, do sonho, sai do plano da ação?

A relação da imagem com a percepção aparece nessas descrições como muito diferente daquela que tínhamos

---

1. *Matière et Mémoire*, p. 180. (N.A.)

visto até então. A imagem duplicava a percepção como sua sombra, era a percepção mesma caindo no passado, era a própria imagem-coisa, só que isolada de seu ambiente de modo a tornar-se uma imagem-quadro; agora, ao contrário, a percepção parece conter sinteticamente uma multidão de imagens às quais a tensão do corpo confere uma unidade indivisa, mas que se dispersam tão logo o corpo relaxa.

É que, como vimos, o papel da imagem na percepção não é de modo algum claro; não se sabe de onde nascem, segundo Bergson, as representações primitivas. Em toda percepção complexa se inserem múltiplas imagens brotadas do inconsciente, as quais constituem ao mesmo tempo a imagem-percepção e a imagem-lembrança. Em certo sentido, portanto, em *uma* percepção há uma multiplicidade de imagens. Só que, se tomarmos a imagem-percepção como unidade indivisa, a imagem-lembrança que lhe corresponde deve ser também tomada como uma unidade; e, inversamente, se esta é tomada como um composto, deve-se tomar como um composto a percepção mesma. Com mais razão ainda, as imagens primitivas têm exatamente o mesmo conteúdo e a mesma concentração que as percepções primitivas.

Aliás, o que podem significar as palavras "desmembramento", "exterioridade", "dissociação" em Bergson, que em outro momento mostrou que a vida do espírito não poderia ser traduzida por nenhuma metáfora espacial? Se ele é levado a introduzi-las, é porque sabe muito bem, por um lado, que a consciência é a cada instante unidade, mas sua teoria realista da memória o obriga, por outro lado, a dar aos objetos inconscientes exatamente a descontinuidade e a multiplicidade dos objetos do mundo material. Como sua metafísica exige que essa realidade inconsciente, esse armazém de imagens isoladas tenha sempre uma presença efetiva no espírito, a consciência só pode diversificar-se pelos diversos tipos de unidades que ela dará a essa realidade múltipla. Donde a comparação com os diferentes graus de tensão de um gás, no qual a mesma quantidade de moléculas pode ser contida sob volumes diversos; donde a teoria dos diversos planos de consciência. Porém, a ideia de síntese, tão cara a Bergson, é ainda concebida por ele de maneira extremamente materialista: é verdade que, no lugar da antiga *justaposição*, há fusão de elementos. Mas a ideia de elementos é conservada. Bergson tentou substituir por um espiritualismo o pensamento geométrico e espacial do cartesianismo e dos associacionistas, mas produziu apenas uma ficção físico-química cujas ligações são geralmente pré-lógicas.

E que sentido, aliás, pode ter essa fusão? Fala-se de "fusão" das moléculas na teoria cinética dos gases? Se os elementos de um gás podem ocupar um volume variável, é porque se reduz o espaço que os separa, mas seria impossível fazê-los interpenetrarem-se. Com que direito essas moléculas psíquicas, as imagens bergsonianas, fundir-se-iam numa síntese de unificação? Dir-se-á que esse tipo de síntese é próprio da consciência? Mas não há como afirmar esse poder *sui generis* do psíquico a partir do momento em que se construiu uma metafísica realista da memória. De fato, a imagem permanece então uma coisa, um elemento fixo; ao agregar-se a outras imagens, ela só pode produzir um trabalho de mosaico. Quando o espírito se move num plano de consciência, seja qual for, produzem-se apenas ligações mecânicas como as que o associacionismo descreve. Há mesmo toda uma região da vida psíquica, a que Bergson denomina inferior ou mecânica, na qual as ligações entre imagens são, como ele próprio reconhece, puramente associativas: a região do sonho e do devaneio.

O que faz a espontaneidade do espírito é a possibilidade de passar de um plano a outro. A passagem se dá por aquilo que Bergson chama de esquema dinâmico. O esquema é uma unidade, uma síntese contendo as regras de seu desenvolvimento em imagens, contendo "a indicação do que é preciso fazer para reconstituir as imagens". Ele "contém no estado de implicação recíproca *o que a imagem desenvolverá em partes exteriores umas às outras*".[1]

Podemos deixar a memória vagar ao acaso: as imagens se sucederão em um mesmo plano de consciência, elas serão homogêneas. Mas podemos, ao contrário, "transportarmo-nos a um ponto em que a multiplicidade das imagens parece condensar-se em uma representação única, simples, indivisa". Nesse caso, a lembrança consistirá simplesmente em descer do esquema para o plano no qual as imagens estão dispersas.

Compreender, lembrar, inventar é sempre formar primeiramente um esquema para depois descer do esquema à imagem, preencher o esquema com imagens, o que pode levar, aliás, a modificar o esquema durante a sua realização. Assim se explicariam a unidade, a organização da atividade espiritual, impossível de explicar se partimos, ao contrário, de elementos separados; é do esquema que vêm a flexibilidade e a novidade. E Bergson conclui:

"*Ao lado* do mecanismo da associação, há o do esforço mental."

Eis o que basta para datar seu pensamento. Não acreditaríamos estar lendo uma frase de Ribot? Como Ribot, Bergson não viu que não se pode fazer concessões ao associacionismo. Se aceitamos a concepção da imagem fixa e das ligações mecânicas, se introduzimos na consciência uma opacidade, uma resistência que lhe é estranha, um mundo de "coisas", somos incapazes de compreender a natureza do fato consciente. Como poderá a consciência controlar os elementos estranhos? Ou, em termos bergsonianos, como poderá a flexibilidade do esquema acomodar-se à rigidez da imagem? Também aqui é preciso recorrer ao mágico. Entre o esquema e a imagem, diz Bergson em termos muito vagos, há "atração e repulsão". Mas percebe-se claramente

---

1. *L'Énergie spirituelle*: "L'Effort intellectuel". Nós sublinhamos. (N.A.)

que ele não pode explicar a seleção que as imagens operam entre si, sua maneira de reconhecer o esquema no qual podem ser inseridas.

E, sobretudo, se as imagens só podem fornecer "mosaicos", como pode o esquema modificá-las a ponto de elas se fundirem em uma imagem nova, de uma qualidade irredutível, em suma, como explicar a imaginação criadora? Afinal, o esquema age apenas como catalisador; ele não é tão diferente do "princípio de unidade, centro de atração e ponto de apoio" cuja existência Ribot postulava. *Antes* dele, há apenas imagens separadas; *depois* dele, as imagens são classificadas em uma ordem nova de interdependência, mas nenhuma "força suave", ordenando diretamente as imagens e emanando delas sem intermediários, agiria de forma mais misteriosa para produzir os mesmos resultados. Ou, então, é preciso admitir que o esquema modificou a estrutura interna das imagens. Porém, isso supõe uma teoria completamente diferente das imagens, na qual estas apareceriam como *atos* e não como conteúdos e na qual, precisamente, o esquema não mais desempenharia papel algum.

Bergson não traz nenhuma solução satisfatória ao problema da imagem. Limita-se a sobrepor dois planos de vida psíquica, a reclamar os direitos do espírito de síntese e de continuidade, mas não toca na psicologia da imagem, não a enriquece com uma visão nova; em nenhum instante ele *olhou* suas imagens. Apesar de seus frequentes apelos a uma intuição concreta, tudo nele é dialética, deduções *a priori*. É a imagem de Taine que passa por inteiro, sem controle, como uma aquisição incontestável da ciência, para a metafísica bergsoniana. E o mundo do pensamento, que Bergson tentou sem felicidade restabelecer, é irremediavelmente separado do mundo das imagens e privado de um grande número de recursos.

Acrescentemos que Bergson hesitou muito nesse ponto e que, em algumas conferências, atribuiu à imagem uma função incompatível com a natureza que lhe conferem *Matéria e Memória* e *A energia espiritual*. Por exemplo, em *A intuição filosófica* ele considera a imagem como "intermediária entre a simplicidade da intuição concreta e a complexidade das abstrações que a traduzem", mostrando a necessidade de recorrer a esse termo mediador "que é quase matéria por deixar-se ainda ver e quase espírito por não se deixar mais tocar". É o conceito que aparece então como fixo, como espacial e fragmentário; a imagem é mais concisa, mais próxima da intuição: "É em conceitos que o sistema se desenvolve, é numa imagem que ele se contrai quando o rechaçamos para a intuição da qual procede".

Assim, toda vez que fala da intuição, Bergson tende, por desconfiança para com o pensamento discursivo, a restituir à imagem um grande valor. Mas precisamente por sua teoria do esquema dinâmico, que consagra a impossibilidade de passar da imaginação reprodutora à imaginação criadora, ele retira os meios de relacionar essa função filosófica da imagem à sua natureza psicológica.

Acabamos de constatar o fracasso de Bergson em sua tentativa de dar uma solução nova ao problema da imagem. Mas convém assinalar que Bergson não é, sozinho, todo o "bergsonismo". De fato, ele criou uma certa atmosfera, uma maneira de ver, uma tendência a buscar em toda parte a mobilidade, o vivo, e, sob um aspecto de certo modo metodológico, o bergsonismo representa uma grande corrente do pensamento anterior à guerra. A característica principal desse estado de espírito nos parece ser um otimismo superficial e sem boa-fé que crê ter resolvido um problema quando diluiu seus termos em uma continuidade amorfa. Portanto, pode-se supor que os bergsonianos, retomando o problema da imagem *contra* Bergson, dariam a esta uma flexibilidade e uma mobilidade que o mestre lhe recusara.

É assim que Spaier, em seus primeiros trabalhos[1], que ele relaciona expressamente ao pensamento de Bergson,

---

1. Spaier, L'Image mentale, *Revue Philos.*, 1914. (N.A.)

procura mostrar que as imagens vivem: elas nascem e morrem, têm suas "auroras", seus "crepúsculos", crescem e se desenvolvem. A imagem do associacionismo existia *em ato* ou simplesmente não existia. A imagem dos bergsonianos será uma passagem da potência ao ato, como o movimento aristotélico. Ela se desenvolve, dirige-se para a atualização e a individualização completa, isto é, para uma existência de *coisa* individuada. O aspecto que lhe atribuía o associacionismo não é mais que o resultado ideal de seu desenvolvimento. Mas ela pode deter-no caminho. Observa-se, nos sujeitos, uma tendência do pensamento a economizar seu esforço. A compreensão plena de uma ideia às vezes precede a manifestação total de uma imagem. Então, a imagem desaparece sem ter existido até o fim de suas possibilidades, sem que se pudesse saber exatamente o que ela seria ao término de sua atualização. A passagem de uma imagem à outra fazia-se em dois tempos para os associacionistas: havia de início um puro e simples aniquilamento da primeira, depois uma criação *ex nihilo* da segunda, e elas se sucediam sem se tocar, como o fazem, na filosofia de Hume, dois fenômenos unidos por uma relação de causalidade. Entre duas imagens que se seguem, os psicólogos bergsonizantes restabeleceram a causalidade transitiva. Poder-se-ia mesmo falar das transformações contínuas de *uma única* imagem, lá onde a psicologia clássica teria visto uma sucessão de aparições descontínuas. Assim, a imagem eleva-se do reino mineral ao reino dos vivos. Cada uma delas desenvolve-se segundo suas próprias leis: a intenção era substituir a causalidade mecânica de Hume e de Taine, que supõe a inércia dos elementos que ela reúne, por um determinismo biológico. A imagem é uma forma viva, uma vida relativamente autônoma na vida psíquica total. E julgou-se, por essas metáforas, tê-la tornado homogênea ao pensamento.

Ao mesmo tempo, a noção de esquema conhece uma rara fortuna. Psicólogos e linguistas utilizarão correntemente essa imagem abreviada, intermediária entre o puro sensível individual e o puro pensamento. Certamente não se deve crer que o esquema deva sua existência apenas ao bergsonismo; e homens como Baldwin e Revault d'Allonnes sofreram muitas outras influências antes de constituírem sua psicologia do esquematismo. Mas o esquema encontrava no bergsonismo um terreno favorável a seu desenvolvimento, pois ele é também uma potencialidade. Pensamento em potência, imagem em potência, ele conserva o papel de "*medium*" que já possuía em Kant e que Bergson manteve. Na verdade, esse é o único ponto sobre o qual seus partidários estão de acordo entre si. Permanece entendido que o esquema, como o "*daimon*" da filosofia platônica, tem uma função mediadora. Ele estabelece uma continuidade entre dois tipos de existência que são, no limite, inconciliáveis; supera e resolve em seu seio os conflitos da imagem e do pensamento. Contudo, precisamente por causa desse caráter misto, de síntese conciliadora, é muito grande a incerteza acerca de sua natureza. Ora ele é um princípio de unidade repleto de matéria sensível; ora é uma imagem muito pobre, um esqueleto; ora ainda é uma imagem original, pura determinação do espaço geométrico, que pretende traduzir relações ideais por relações espaciais.

Flexibilização da imagem, criação do esquema: trata-se de um progresso em direção ao concreto? Não acreditamos. Pensamos, ao contrário, que essas novas teorias são tanto mais perigosas por apresentarem a aparência de uma renovação da questão, quando não passam de um aperfeiçoamento, de uma adaptação ao gosto do dia do antigo erro associacionista.

A imagem é *viva*, dizem. Mas o que querem dizer com isso? É ela simplesmente uma fase *da* vida da consciência total, ou é apenas *uma* vida *na* consciência? Basta percorrer a abundante literatura bergsoniana dedicada à questão para ver que a imagem permanece uma *coisa na consciência*. Em primeiro lugar, ela não perdeu seu conteúdo sensível e, portanto, seu caráter de sensação renascente. Ela apenas se flexibilizou. A imagem de Taine renascia sempre semelhante a si mesma: era uma cópia. A imagem viva, ao reaparecer, tira seu sentido do momento da vida psíquica no qual aparece. O conteúdo sensível está sempre aí, mas a forma que ele assume se desfaz e se refaz constantemente. Assim, acreditou-se fazer bastante ao libertar a imagem de seu passado; e, de fato, permitiu-se compreender melhor a função criadora da imaginação, pois toda imagem, espontânea, imprevisível é, afinal, uma criação. Mas terá ficado mais compreensível a relação da forma com a matéria nessa realidade psíquica que chamamos de imagem? Como se explica essa perpétua renovação da imagem, como se explica sua perpétua adaptação à situação presente, se seu conteúdo sensível permanece o mesmo? É que tudo é atividade na consciência, dirão. Muito bem, mas o que quer dizer um conteúdo sensível *ativo*? Será um sensível que tem a propriedade de transformar-se espontaneamente? Nesse caso, não é mais um sensível. De acordo, dirão, não é mais um sensível. Basta-nos que tenha conservado sua *qualidade* irredutível de vermelho ou de rugoso ou de agudo. Mas quem não percebe, precisamente, que a inércia, a passividade absoluta, é a condição *sine qua non* dessa qualidade irredutível? Kant observou bem, na *Crítica da razão pura*, a diferença radical que separa a intuição sensível, necessariamente passiva, de uma intuição ativa que produziria seu objeto. Mas, além disso e sobretudo, a imagem dos bergsonianos está sempre colocada diante do pensamento que a decifra. Ela é mais flexível e mais móvel, sem dúvida, mas permanece impermeável. Deve-se *esperá-la*; se, por uma razão qualquer, ela desaparece antes de ter-se formado, nunca saberemos o que deveria ser. É preciso observá-la, decifrá-la: em suma, ela nos *ensina* a cada instante alguma coisa. O que isso quer dizer, senão precisamente que ela é *uma coisa*? É verdade que as pesadas pedras de Taine foram substituídas por ligeiras névoas vivas que se transformam sem cessar. Mas nem por isso essas névoas deixaram de ser coisas. Se a intenção era fazer a imagem homogênea ao pensamento, não deviam ter-se contentado em torná-la diáfana, movente, quase transparente. É seu caráter de *coisa* que deviam atacar. Sem o que estarão expostos a ouvir dizer: é verdade, o pensamento é fluido, diáfano, movente – é verdade, vemos que vocês aplicam os mesmos termos à imagem. Mas esses termos idênticos não têm o mesmo sentido aqui e ali. Quando vocês falam da fluidez, da diafaneidade do pensamento, estão usando metáforas que não poderiam ser tomadas ao pé da letra. Quando dão as mesmas qualidades à imagem, vocês as dão *realmente*, pois fizeram dela uma coisa diante do pensamento. É graças a um puro e simples jogo de palavras que vocês podem afirmar a homogeneidade do pensamento e da imagem tal como a concebem. Sendo assim, de nada serve dizer que a imagem é um organismo vivo: vocês não suprimiram, com isso, sua natureza de objeto, não a livraram das leis de associação, como tampouco o fato de estar vivo não livra um organismo das leis de atração.

Quanto ao esquema, ele representa simplesmente uma tentativa de conciliação entre dois termos extremos. Mas o fato mesmo de se utilizar essa noção mostra que se persiste em afirmar a existência desses extremos. Sem imagens-coisas, não há necessidade de esquemas: em Kant, em Bergson, o esquema nunca foi senão um truque para juntar à multiplicidade inerte do sensível a atividade e a unidade do pensamento. A solução do esquematismo aparece, portanto, como uma resposta clássica a uma *certa maneira* de formular a questão. Com um outro enunciado, a significação do esquema desaparece. Vocês dizem ter presentemente na consciência uma representação abreviada, concreta demais para ser do pensamento, indeterminada demais para ser assimilável às coisas individuais que nos cercam, e chamam essa representação esquema. Mas por que isso não seria simplesmente uma imagem? Será que vocês não confessam, ao constituírem para essas representações abreviadas uma classe à parte, que reservam o nome de imagens a cópias fiéis e exaustivas das *coisas*? Mas talvez as imagens nunca sejam cópias de objetos. Talvez sejam apenas procedimentos *para tornar presentes* os objetos de uma certa maneira. Nesse caso, o que vem a ser o esquema? Ele não é mais que uma imagem como as outras, pois o que definirá a imagem será a forma como ela visa o objeto, e não a riqueza dos detalhes por meio dos quais o torna presente.

No começo do século, porém, o problema da imagem vai sofrer modificações bem mais importantes que essa pretensa "reviravolta" bergsoniana: de fato, veremos reaparecer a terceira atitude diante da imagem-coisa, a atitude cartesiana. Sucessivamente, Marbe publica, em 1901, suas *Pesquisas de psicologia experimental sobre o juízo*; Binet traz a público, em 1903, seu *Estudo experimental da inteligência* e abandona definitivamente sua posição de 1896; Ach escreve, em 1905, seu artigo "Sobre a atividade voluntária e o pensamento"; Messer, suas *Pesquisas de psicologia experimental sobre o pensamento*; Bühler, de 1907 a 1908, seus *Fatos e problemas para uma psicologia dos processos de pensamento*. Ao mesmo tempo, Marie publica em 1906 sua *Revisão da questão da afasia* e publica mais tarde, na *Revue philosophique*, um artigo "Sobre a função da linguagem".

Esses trabalhos, de natureza e de inspiração muito diferentes, terão por resultado, no entanto, fazer renascer a concepção cartesiana da relação *imagem-pensamento*. O leitor recorda o embaraço em que se achavam Brochard, Ferri e todos os racionalistas dos anos 1880. Eles se acreditavam encerrados entre os dados de fato da psicologia e os da introspecção. Apesar dessas duas grandes leis científicas: há localizações cerebrais – a consciência nunca constata em si mesma outros fenômenos senão representações imagéticas; apesar das induções que pareciam apoiadas por uma quantidade e uma variedade imponentes de constatações, esses filósofos queriam restabelecer a existência de um pensamento sintético, que utilizava conceitos, apreendia relações e cujos procedimentos eram regulados por leis lógicas. Daí o recurso a Leibniz e a afirmação pura e simples dos direitos do pensamento. Mas a teoria fisiológica das localizações perderá bruscamente seu crédito junto aos médicos: ela fora construída, afinal, sobre materiais duvidosos; o recurso à experiência fora feito segundo os métodos preconizados por S. Mill e valia simplesmente o que valem esses próprios métodos. Marie retoma a questão da afasia, origem da teoria científica das localizações, e mostra que, em vez de inúmeros distúrbios que respondem cada um a uma lesão de um centro particular, existe apenas um único tipo de afasia, que corresponde simplesmente a um rebaixamento geral do nível psíquico e, por conseguinte, a uma incapacidade sintética. A afasia é um distúrbio da inteligência. A partir daí, a fisiologia lentamente se orientará para uma concepção sintética do cérebro. Trata-se de um órgão no qual é possível, por certo, distinguir regiões diferentes, cada uma com funções diferentes, mas que não poderia ser reduzido a um mosaico de grupos celulares.

Ao mesmo tempo, os trabalhos da Escola de Würzburg transformarão a concepção dos dados da intuição. Certos sujeitos captaram em si mesmos estados não imagéticos, o pensamento revelou-se a eles sem intermediário. Constataram a existência de saberes puros, de "consciências de regras", de "tensões de consciência" etc. No que se refere às imagens propriamente ditas, os dados do senso íntimo vêm confirmar as teorias dos bergsonianos: a imagem é flexível, móvel, os objetos que aparecem em imagem não estão submetidos à mesma individuação que os da percepção.

Esta é, portanto, a grande novidade das teorias de Würzburg: o pensamento aparece a si mesmo sem nenhum intermediário; pensar e saber que se pensa é uma coisa só. Pudemos há pouco comparar o esforço de Leibniz e de seus sucessores, ante o argumento físico-teológico, para provar, pela própria ordem das imagens, a existência de um pensamento para além das imagens. Mas aqui não há mais necessidade de prova: assim como Deus se entrega à contemplação do místico, o pensamento deixa-se apreender por uma experiência privilegiada. E o valor dessa experiência privilegiada é garantido pelo "*cogito*" cartesiano.

Não é nosso propósito expor os trabalhos da Escola de Würzburg: encontrar-se-á sobre a questão um grande número de monografias em francês, em inglês e em alemão. Tudo já foi dito sobre o valor e o alcance da introspecção experimental. Gostaríamos apenas de observar que os psicólogos alemães não vieram sem ideias preconcebidas à experiência.

Na verdade, seus trabalhos não têm um objetivo exclusivamente psicológico. Poder-se-ia mesmo dizer que eles visam a limitar rigorosamente o domínio da psicologia. Foram concebidos sob a influência das *Logische Untersuchungen* [Investigações lógicas] de Husserl, cujo primeiro tomo ocupa-se de uma crítica exaustiva ao psicologismo sob todas as suas formas. A esse psicologismo que visa a constituir a vida do pensamento por meio de "conteúdos de consciência", Husserl opõe uma concepção nova: existe uma esfera transcendente de significações, que são "representadas" e não "representações" e que de maneira nenhuma poderia deixar-se constituir por conteúdos. A esse mundo de significações corresponde evidentemente um tipo de estados psíquicos especial: os estados de consciência que *representam* para si essas significações e que podem ser intenções vazias ou intuições mais ou menos claras, mais ou menos plenas. De todo modo, a significação e a consciência de significação escapam à psicologia. O estudo da significação com tal caberá à lógica. O estudo da consciência de significação pertencerá, após uma "conversão" especial ou "redução", a uma disciplina nova, a fenomenologia. Reencontramos aqui o que havíamos observado em Descartes: as essências e a intuição das essências, os atos de julgamento e as deduções escapam inteiramente à psicologia, concebida como um estudo genético e explicativo que vai do fato à lei. Ao contrário, são as essências que tornam a psicologia possível.

Ora, justamente uma das preocupações dos psicólogos de Würzburg foi verificar no terreno da introspecção experimental o antipsicologismo de Husserl. Se Husserl dizia a verdade, deveria haver estados especiais na corrente da consciência que seriam precisamente consciências de significação. E, se esses estados existissem, sua característica essencial seria limitar a psicologia, constituir-lhe as fronteiras. Com efeito, eles se deixariam descrever e classificar e, desse modo, pertenceriam ainda aos psicólogos, mas seria preciso, em razão de sua existência, renunciar a explicá-los, a mostrar sua gênese a partir de conteúdos anteriores: na verdade, eles representam a maneira como a lógica se oferece à consciência humana.

Portanto, quando os psicólogos de Würzburg descobriram pensamentos puros, eles pensaram ter provado a existência do lógico puro, e essa concepção *a priori* do pensamento ditava-lhes sua atitude diante da imagem. Esta continua sendo o psíquico puro diante do lógico puro, o conteúdo inerte diante do pensamento. Entre o mundo das imagens e o mundo do pensamento há um abismo, precisamente o abismo que havia em Descartes. E Bühler retomará por sua conta a famosa passagem das *Meditações* na qual Descartes mostra que somente o entendimento pode pensar um pedaço de cera em sua verdadeira natureza. Ele escreverá:

"Afirmo que, em princípio, todo objeto pode ser plenamente e exatamente pensado sem o auxílio de imagens."[1]

Bühler, *Tatsachen und Probleme*...etc. Über Gedanken, 321, *Arch. f. ges. Psych.*, 1907, t. IX. (N.A.)

Segue-se que a imagem, na opinião desses psicólogos, só poderia ser um estorvo para o pensamento. Ela representa o reaparecimento inoportuno da coisa no meio das consciências de significação. Eis por que Watt pode escrever:

"Toda imagem apresenta-se como um impedimento (*Hemmung*) para os processos ideativos."

A imagem é uma sobrevivência, um órgão em via de regressão; e, já que se pode sempre tornar presente um objeto em sua essência pura, é sempre uma perda de tempo e uma degradação utilizar imagens. Assim a imagem conserva, para Watt e Bühler, seu caráter dirimente de *coisa*. De modo algum eles a estudaram por si mesma, não tiraram proveito da rica colheita de fatos que lhes proporcionaram suas experiências. Sua teoria da imagem conserva, portanto, um caráter profundamente negativo e, por conseguinte, a imagem continua sendo neles o que era em Taine: uma revivescência da coisa.

O que buscaremos determinar a seguir é se os psicólogos de Würzburg compreenderam bem Husserl, se não havia uma psicologia inteiramente nova a constituir a partir das *Logische Untersuchungen*. Por ora, será suficiente mostrar o quanto essa concepção do pensamento puro – que apesar de Ribot, Titchener etc., torna-se uma aquisição da psicologia – permanece ainda incerta e confusa. De fato, por volta da mesma época, Binet faz experiências com suas sobrinhas e descobre o pensamento sem imagem.[1] Mas ele não recorre à experiência de um modo livre e sem preconceitos. Partiu do associacionismo e só mais tarde sofreu a influência da psicologia de síntese. Com isso conservou, quase sem que o soubesse, a velha concepção da imagem

---

1. *Étude expérimentale de l'intelligence*, 1903. Criticou-se com frequência a escolha dos pacientes (muito jovens) e a dos testes (fáceis demais). Cf. Ribot, *La vie inconsciente et les mouvements*. (N.A.)

tainiana. O que ele quer é estabelecer *contra* a imagem a existência de um pensamento. E de imediato a imagem aparece-lhe como uma "pobre gravura", como uma moeda de um vintém, quando o pensamento corresponde a mil francos. Sem dúvida, ela entra agora em combinações sintéticas, mas a título de elemento discreto.

O principal, porém, é que ele não espera que a experiência lhe revele nem a existência nem a natureza do pensamento; já possui sua concepção, ou melhor, hesita entre duas concepções opostas.

O pensamento aparece-lhe com frequência como um *fato* acessível à introspecção – quando comenta, por exemplo, a célebre fórmula de um de seus pacientes: "O pensamento me aparece como um sentimento igual aos outros". Mas, nesse caso, sob a influência do pragmatismo biológico da época, ele faz disso a tomada de consciência de uma atitude corporal. O que vemos, então, é um cartesianismo decaído, rebaixado ao plano do naturalismo, tal como Ribot representava a decadência do leibnizianismo. Assim, encontramos nessa época não apenas as grandes metafísicas (reaparecidas em Brochard e em Bühler, por exemplo), mas também suas projeções no terreno de um naturalismo que se crê tanto mais "positivo" quanto é mais grosseiro.

Dessa concepção, Binet passa imperceptivelmente a uma outra: meditando, à maneira de Brochard, sobre a inadequação da imagem e da significação, ele conclui que o pensamento não *pode* ser senão a imagem. Nesse caso, sem abandonar o plano naturalista, ele se transporta para o terreno do direito. Escreve então esta famosa frase, em plena contradição com suas descrições anteriores:

"O pensamento é um ato inconsciente do espírito que, para tornar-se consciente, tem necessidade de imagens de palavras."

Desse modo, o pensamento continua sendo uma realidade, já que a noção de direito se fez mais pesada e se hipostasiou na de inconsciente, mas não é mais acessível a si mesmo. Se penso a frase "Eu partirei amanhã para o campo", é possível que ela se acompanhe em meu espírito apenas da imagem vaga de um quadrado de erva. Nesse caso, diz Binet, a imagem é insuficiente para dar todo o sentido contido nas palavras. É preciso, pois, colocar o complemento necessário fora da consciência, no inconsciente.

Mas existe aí uma grave confusão. *Em direito*, a frase "Eu partirei amanhã para o campo" envolve o infinito. De fato, primeiramente é preciso que haja um "amanhã", isto é, um sistema solar, constantes físicas e químicas. É preciso também que eu ainda viva, que nenhum acontecimento grave tenha transtornado minha família ou a sociedade na qual vivo. Todas essas condições são, sem dúvida, implicitamente requeridas por essa simples frase. Além disso, como Binet bem assinalou, o sentido da palavra "campo" é inesgotável; seria preciso acrescentar o sentido da palavra *eu* e o das palavras "partir" e "amanhã". Assustados, recuamos finalmente diante da profundidade dessa pequena e inocente frase. É o caso de lembrar a observação de Valéry: não há uma palavra que possamos compreender se vamos ao fundo.

Mas Valéry acrescenta: "Quem se apressa compreendeu", o que significa que *de fato* nunca vamos ao fundo. O sentido inesgotável da frase citada existe sim, porém ele é virtual e social: existe para o gramático, para o lógico, para o sociólogo; o psicólogo não precisa preocupar-se com ele, pois não encontrará seu equivalente nem na consciência nem num problemático inconsciente inventado para as necessidades da causa. Certamente, pode haver casos em que o pensamento tende a explicitar toda a compreensão de uma frase. Mas se, como no caso que nos ocupa aqui, encontramos somente uma pobre imagem, não seria preferível nos perguntarmos se não havia também um pobre pensamento em nosso espírito? Mais ainda: tivemos consciência apenas da imagem. Não seria essa imagem, afinal a forma sob a qual o pensamento apareceu à consciência? Esse quadrado de erva verde não é um quadrado qualquer. Eu o reconheço: é um pedaço da grande pradaria situada abaixo do meu jardim. É lá que costumo sentar-me. Por outro lado, não é um quadrado anônimo dessa pradaria: é exatamente o lugar que escolhi para estender-me. Precisamente dirão: como sabe isso, senão pelo pensamento? Mas essa pergunta contém um postulado oculto: o de que a imagem é diferente do pensamento, é seu suporte. Nesse caso, ela teria com este a mesma relação do signo com a significação. Mas o que é que o prova? Não é *a priori* possível que a imagem, em vez de ser um apoio inerte do pensamento, seja o próprio *pensamento* sob uma outra forma? Talvez a imagem não seja nada mais que um signo. Talvez o quadrado de erva, longe de ser uma gravura anônima, constitua um pensamento preciso. No limiar de um estudo sobre as relações da imagem com o pensamento, teria sido necessário desembaraçar-se do preconceito associacionista que faz da imagem uma massa inerte e de uma falsa concepção do pensamento que, pela confusão do real e do virtual, faz entrar o infinito na menor de nossas ideias. Binet não foi até esse ponto; que ele permaneceu associacionista até o fundo da alma é o que mostra bem o texto a seguir, datado de pouco tempo antes de sua morte:

"(A psicologia) estuda um certo número de leis que chamamos de mentais para opô-las às leis da natureza externa, das quais diferem, mas que, propriamente falando, não merecem o nome de mentais, uma vez que são (...) leis das imagens, e as imagens são elementos materiais. Embora isso pareça absolutamente paradoxal, a psicologia é uma ciência da matéria, a ciência de uma porção da matéria que tem a propriedade de pré-adaptação."[1]

Binet, *L'âme et le corps*, Paris, 1908. Binet morreu em 1911. (N.A.)

Portanto, em 1914, reencontramos inalteradas as três grandes atitudes que havíamos descrito no primeiro capítulo. O associacionismo sobrevive ainda, com alguns defensores tardios das localizações cerebrais; está latente, sobretudo, em um grande número de autores que, apesar de seus esforços, não puderam livrar-se dele. A doutrina cartesiana de um pensamento puro capaz de substituir a imagem no terreno da imaginação conhece, com Bühler, uma renovada aceitação. Um número muito grande de psicólogos, enfim, sustenta, juntamente com Peillaube, a tese conciliatória de Leibniz. Experimentadores como Binet e os psicólogos de Würzburg afirmam ter constatado a existência de um pensamento sem imagem. Outros psicólogos, não menos preocupados com os fatos, como Titchener e Ribot, negam a existência e até a possibilidade de tal pensamento. Não avançamos mais do que no momento em que Leibniz publicava, em resposta a Locke, seus *Novos Ensaios*.

É que o ponto de partida não mudou. Em primeiro lugar, conservou-se a velha concepção da imagem. Sem dúvida, ela se tornou mais flexível. Experiências como as de Spaier[1] revelaram uma espécie de vida onde, trinta anos mais cedo, viam-se apenas elementos fixos. Há auroras de imagens, crepúsculos; a imagem transforma-se sob o olhar da consciência. As pesquisas de Philippe[2] mostraram uma esquematização progressiva da imagem no inconsciente. Admite-se agora a existência de imagens genéricas, o trabalhos de Messer revelaram, na consciência, um grande número de representações indeterminadas, e o individualismo berkeliano foi completamente abandonado. A velha noção de *esquema*, com Bergson, Revault d'Allonnes, Bet etc., volta à moda. Mas o princípio não é abandonado: imagem é um conteúdo psíquico independente que pod servir de suporte ao pensamento, mas que tem també

---

1. Spaier, L'Image mentale, *Revue Philos.*, 1914. (N.A.)
2. Philippe, *L'Image*. (N.A.)

suas leis próprias; e, se um dinamismo biológico substituiu a concepção mecanicista tradicional, a essência da imagem continua sendo a passividade.

Em segundo lugar, o problema da imagem é sempre abordado com as mesmas preocupações. Trata-se sempre de tomar posição frente à questão metafísica da alma e do corpo ou à questão metodológica da análise e da síntese. É verdade que o problema da alma e do corpo nem sempre é formulado, ou pelo menos não é formulado nos mesmos termos: mesmo assim, ele conservou toda a sua importância. A imaginação continuou sendo, com a sensibilidade, o domínio da passividade corporal. Quando Brochard, Ferri e Peillaube lutam contra o associacionismo de Taine e buscam limitá-lo sem suprimi-lo, eles querem restabelecer, acima das leis do corpo, a dignidade e os direitos do pensamento. O centro da questão não se deslocou: trata-se sempre de compreender como a matéria pode receber uma forma, como a passividade sensível pode ser *agida* pela espontaneidade do espírito. Ao mesmo tempo, a psicologia continua buscando seu método, e as soluções que apresenta aos grandes problemas da imaginação aparecem mais como *demonstrações de método* do que como resultados positivos. Em vez de ir direto à coisa e formar o método a partir do objeto, define-se primeiro o método (análise de Taine, síntese de Ribot, introspecção experimental de Watt, crítica reflexiva de Brochard etc.) e *aplica-se a seguir* ao objeto, sem suspeitar que, ao adotar o método, já se forjou o objeto.

Se aceitamos essas premissas, não há, não pode haver senão três soluções. *Ou* postula-se *a priori* o valor da análise. Nesse caso, afirma-se também um materialismo de método, uma vez que se tentará, como Comte mostrou profundamente, explicar o superior pelo inferior; e esse materialismo de método poderá converter-se facilmente em um materialismo metafísico.

Ou afirma-se a necessidade de utilizar simultaneamente a análise e a síntese. E com isso se restabelecem, diante da imagem, as sínteses do pensamento. Nesse caso, de acordo com a atitude metafísica adotada, o pensamento representará o espírito diante do corpo ou o órgão biológico diante do elemento. Mas a imagem e o pensamento serão dados como inseparáveis e aquela como o suporte material deste.

Ou reivindica-se simultaneamente os direitos metafísicos de um pensamento puro e os direitos metodológicos de uma síntese não analisável. Porém, como se conservou a imagem a título de elemento inerte, o domínio das sínteses puras será limitado, e veremos coexistir dois tipos de existência psíquica: o conteúdo inerte com suas leis associativas e a espontaneidade pura do espírito. Nesse caso, haverá entre o pensamento imaginativo e o pensamento sem imagens não apenas diferença de natureza, mas, como mostramos a propósito de Descartes, *diferença de sujeito*. A dificuldade aqui será mostrar como esses dois sujeitos poderão fundir-se na unidade de um eu.

Entre essas três concepções é preciso escolher? Fizemos a exposição histórica das dificuldades que cada uma delas levanta. Vamos tentar mostrar agora que todas as três devem necessariamente fracassar, porque todas as três aceitam o postulado inicial do renascimento dos conteúdos sensíveis inertes.

III
As contradições da concepção clássica

Spaier, em seu livro sobre *O pensamento concreto*, publicado em 1927, assinala que as pesquisas experimentais sobre a natureza da imagem mental tornaram-se cada vez mais raras após os trabalhos da Escola de Würzburg. É que a maior parte dos psicólogos considera a questão como resolvida: aqui, como em quase toda parte, chegou-se a um ecletismo. O artigo que Meyerson acaba de publicar no *Nouveau Traité* de Dumas é muito significativo dessa tendência a conciliar, a atenuar, a enfraquecer. Na corrente da consciência, sempre se considera a imagem como um estado substantivo, mas se reconhece nela uma certa mobilidade: ela vive, transforma-se, há auroras e crepúsculos de imagem; ou seja, procura-se beneficiar esse antigo "átomo" psíquico com a flexibilidade que a ideia de continuidade conferiu a toda a vida psíquica.

"É preciso fazer a psicologia tradicional entender que suas imagens com arestas vivas não constituem senão a mínima parte de uma consciência concreta e viva. Dizer que a consciência contém apenas esse tipo de imagens equivale a dizer que um rio contém apenas baldes d'água ou outros volumes contidos em seus recipientes, copos, litros ou tonéis. Coloquemos, se insistem, todos esses baldes e recipientes no rio: resta ao lado deles a água livre na qual mergulham e que continua a fluir entre eles."[1]

---

1. James, *Précis de psychologie*, p. 214, citado por Meyerson, in art. cit., p. 559. (N.A.)

Mantém-se, diante do pensamento, uma estrutura autônoma que é chamada de imagem, mas se reconhece que o pensamento penetra profundamente a imagem, pois, como dizem, toda imagem *deve ser compreendida*.

"Nossa consciência da imagem implica nossa consciência (mais ou menos explícita) de sua significação, e as imagens das quais se ocupa a psicologia não são puros signos desprovidos de significação. Em outras palavras, a imagem é compreendida e (...) no pensamento ordinário nossa atenção nem sempre, nem a maioria das vezes, é dirigida para as imagens: ela se dirige em primeiro lugar para a sua significação."[1]

Do mesmo modo, Spaier escreve: "(...) Na maior parte do tempo nossa atenção não se volta para o objeto da intuição sensível (para a imagem ou a percepção), mas para a significação."[2]

De modo nenhum se pensa em negar a estrutura sensorial da imagem; porém, insiste-se no fato de que ela já é *elaborada* pelo pensamento. Essa elaboração, por sua vez, é concebida segundo a velha forma de "fragmentação" e "recomposição", ou seja, em suma, de uma combinação de elementos materiais. É mantido um modo de ligação próprio às imagens que muito se assemelha à associação, porque continua sendo mecânico; contudo, a parte que lhe concedem é cada vez menor, e alegram-se quando podem escrever: "Portanto, é um novo domínio que escapa à associação"[3], como se a função do psicólogo fosse conquistar terras novas, pôlderes, que pertenciam à associação.

Assim, tudo foi recuperado e recolocado em seu lugar: conservou-se o plano da imagem e o do pensamento, mas buscou-se fazer prevalecer a ideia de continuidade;

---

1. Hoernlé, Image, Idea and Meaning, *Mind*, 1907, p. 75-76. Citado por Meyerson. (N.A.)

2. Spaier, *La pensée concrète*, p. 201. (N.A.)

3. Meyerson, *ibid.*, p. 578. (N.A.)

suprimiram-se as delimitações nítidas; insistiu-se na ideia da unidade da consciência e isso permite, por um passe de mágica, fundir o pensamento na imagem e a imagem no pensamento, em nome da predominância do todo sobre os elementos que o compõem. É com satisfação que se escrevem, então, páginas como a que segue, nas quais a vontade de conciliar, de dar razão a todos, afirma-se de maneira bastante divertida:

"A imagem, pois, serve de signo... Ela tem uma significação, uma relação com algo diferente dela mesma; é um substituto. Tem um conteúdo intelectual, é a indicação de uma realidade lógica. Nunca está completamente isolada: faz parte de um sistema de imagens-signos; é compreendida graças a esse sistema. Não é inteiramente fluida, possui suficiente estabilidade, precisão, forma e homogeneidade para poder ser comparada a outras imagens e a outros signos. É um complexo: o significante e o significado, o 'sensível' e o 'inteligível' nela se misturam, formando um todo indissolúvel. É possível perceber lados, faces, camadas de significação ou detalhes de aspecto sensível, mas, quando uma parte é assim isolada, deve-se lembrar o conjunto para compreendê-la[1] (...) Ela pode ser mais ou menos ativa. Pode ser uma simples ilustração que se arrasta, de certo modo, atrás do pensamento, sem servir a seu progresso. E pode ser também uma atividade: atividade positiva que orienta e guia, ou atividade negativa que retém ou interrompe. É um corrimão que impede o pensamento de sair fora de seu caminho, mas às vezes é também uma barreira atravessada no caminho. Quando é flexível, plástica e móvel, pode servir de auxílio mais ou menos eficaz ao pensamento; ao contrário, quando é muito precisa, muito concreta ou muito estável, quando dura, ela detém o pensamento ou faz com que ele se desvie."[2]

---

1. Meyerson, *loc. cit.*, p. 582. (N.A.)
2. *Idem, ibid.*, p. 588. (N.A.)

A atitude de I. Meyerson é a de muitos bons autores. No entanto, a solução com que eles se satisfazem não resiste a um exame sério. Segundo a expressão de Pascal, as dificuldades foram "encobertas", não foram "retiradas". De modo geral, convém desconfiar da tendência moderna a substituir o atomismo associacionista por uma espécie de contínuo amorfo em que as oposições e os contrastes se diluem ou desapareçam. O pensamento, apercepção sintética de relações, e a imagem dos associacionistas são certamente muito incompatíveis. Ora, é ainda a imagem dos associacionistas que nossa psicologia "sintética" quer apresentar como auxílio ao pensamento. Só que por cima das ligações mecânicas foi lançado um véu de bruma: é o que chamam de duração. O pensamento dura, dizem, e as imagens duram: essa é a base de uma aproximação possível. Mas que importa que durem se não duram da mesma maneira? O ecletismo contemporâneo quis conservar, valendo-se de uma penumbra bergsoniana, o nominalismo de Descartes e os "dados experimentais" de Würzburg, o associacionismo, como modo de encadeamento mais baixo, e a tese leibniziana de uma continuidade entre os diferentes modos de conhecimento, em particular entre a imagem e a ideia. Aceita-se a existência de dados brutos que constituiriam a matéria da imagem, mas afirma-se que esses dados, para fazerem parte da consciência, devem ser *repensados*. Constitui-se assim, dialeticamente, uma espécie de processo neoplatônico da imagem quase bruta, "estável, precisa, concreta" ao pensamento quase puro que contém ainda, apesar de tudo, uma materialidade sensível quase imponderável. Porém, debaixo dessas descrições vagas e gerais, persiste a incompatibilidade: de fato, a imagem permanece profundamente material. Quando Meyerson nos diz, por exemplo, que a imagem deve ser compreendida por aquilo que figura e não por aquilo que aparenta, ele introduz uma distinção entre a própria natureza da imagem e a maneira como o pensamento a apreende e, com isso, assimila a imagem a um símbolo material – como uma bandeira, por exemplo – que *nele* é sempre outra coisa (madeira, tecido etc.) distinta do que queremos ver. De modo geral, aliás, tão logo fazemos da imagem um signo que deve ser compreendido, colocamos a imagem fora do pensamento, pois o signo continua sendo, apesar de tudo, um apoio exterior e material para a intenção significante. Assim reaparece, com a teoria em aparência puramente funcional da *imagem-signo*, a concepção metafísica da imagem-traço. Do mesmo modo, quando Spaier concede apenas ao juízo a possibilidade de distinguir a imagem da percepção, ele efetua muito naturalmente uma assimilação do objeto tal como aparece em imagem com o objeto material da percepção: de fato, somente caracteres extrínsecos permitiriam diferenciá-los. Essa imagem que o pensamento *decifra, penetra, dissocia* e *recompõe* pode muito bem ter adquirido, de uns anos para cá, uma flexibilidade que ela não tinha até então, mas permanece profundamente a imagem material da filosofia clássica. E, quando nos dizem que ela é nada se não for pensada, confessamos não compreender claramente, já que reconhecem, ao mesmo tempo, que ela é ainda outra coisa que não o fato de ser pensada. Em vez de dissolver as teses em confronto num continuísmo vago, teria sido melhor considerá-las de frente e tentar destacar seu postulado comum e as contradições essenciais a que conduzem. Mostramos no capítulo anterior que o postulado comum dessas diferentes teorias era o da identidade fundamental da imagem e da percepção. Vamos tentar agora mostrar que esse postulado metafísico, quaisquer que sejam as conclusões que se tirem dele, deve necessariamente conduzir a contradições.

1) O problema das "características da imagem verdadeira"

O primeiro procedimento de nossos filósofos foi identificar imagem e percepção: o segundo deve ser distingui-los. O fato que a intuição bruta apresenta-nos é que há imagens e percepções; e sabemos muito bem distinguir umas das outras. Em consequência, após a identificação *metafísica*, é preciso necessariamente levar em conta este dado *psicológico*: *na realidade*, operamos espontaneamente uma distinção radical entre esses estados psíquicos. Notemos, de imediato, que havia duas maneiras de colocar essa nova questão: podia-se perguntar de que modo a estrutura psíquica "imagem" se oferecia à reflexão *como imagem* e a estrutura "percepção", como percepção. Limitava-se então o problema a seu aspecto estritamente psicológico e não se fazia intervir os *objetos* da percepção e da imagem. Talvez essa forma de proceder conduzisse cedo ou tarde à seguinte constatação: a despeito da metafísica, há entre imagem e percepção uma diferença de natureza. Mas os autores, em sua maior parte, consideraram a questão de um modo bem diferente. Eles não se perguntaram se as formações psíquicas se dão imediatamente à consciência *pelo que elas são*: colocaram-se no ponto de vista metafísico-lógico da *verdade*. Transformaram tacitamente a distinção que toda consciência faz espontaneamente entre a imagem e a percepção numa distinção entre o falso e o verdadeiro. Assim, Taine pôde dizer que "a percepção era uma alucinação verdadeira". Contudo, verdade e falsidade não são concebidas aqui como critérios intrínsecos, à maneira de Spinoza. Trata-se de uma relação com o objeto. Estamos diante de um mundo de imagens. Aquelas que têm um correspondente exterior são ditas verdadeiras ou "percepções"; as outras são chamadas "imagens mentais". Percebe-se o passe de mágica: os dados do senso íntimo são transformados em relações externas de um conteúdo de consciência com o mundo, e a distinção imediata entre os conteúdos é substituída por uma classificação desses conteúdos relativamente a algo distinto deles mesmos. Então, a teoria metafísica da imagem pensa reunir os dados da psicologia, mas ela não os reúne verdadeiramente: contenta-se apenas com um *equivalente* lógico.

Aliás, o mais difícil não está feito: resta encontrar as "características da imagem verdadeira",[1] ficando bem entendido que a imagem verdadeira não apresenta nenhuma diferença de natureza com a imagem falsa. Há somente três soluções possíveis.

A primeira é a de Hume: imagem e percepção são idênticas em natureza, mas diferem em intensidade. As percepções são "impressões fortes", as imagens, "impressões fracas". Cumpre conceder a Hume o mérito de apresentar a distinção entre imagem e percepção como imediata: ela se produz naturalmente, sem necessidade de recorrer a uma interpretação de signos ou a uma comparação. Opera-se mecanicamente de certo modo: por si mesmas as impressões fortes lançam as impressões fracas a um nível inferior de existência. Infelizmente, essa hipótese não resiste ao exame. Estabilidade, riqueza e precisão das percepções não poderiam distingui-las das imagens. Em primeiro lugar, porque essas qualidades são muito exageradas.

"Constantemente", observa Spaier a esse respeito, "nossos olhos, nossos ouvidos, nossa boca experimentam impressões muito confusas, muito indistintas, às quais raramente prestamos atenção, seja porque têm uma origem muito longínqua, seja porque, mesmo sendo próxima a fonte, não estão em relação direta com nossa conduta."[2]

Por esse motivo faremos delas imagens? Por outro lado, há a questão dos limiares: para que uma sensação transponha o limiar da consciência, ela precisa ter uma intensidade mínima. Se as imagens são da mesma natureza, é preciso que elas tenham pelo menos essa intensidade. Mas então não as confundiremos com as sensações de mesma

---

1. Cf., por exemplo, Maldidier, Les caractéristiques probables de l'image vraie, *Revue de Métaph.*, 1908. (N.A.)

2. Spaier, *loc.cit.*, p. 121. (N.A.)

intensidade? E por que a imagem do ruído de um tiro de canhão não aparece como um pequeno estalo real? Como se explica que *nunca* tomemos nossas imagens por percepções? Mas isso às vezes acontece, dirão. Posso, por exemplo, tomar um tronco de árvore por um homem.[1]

Certamente, porém nesse caso não há confusão entre uma imagem e uma percepção: há falsa interpretação de uma percepção real. Não há – e voltaremos a esse ponto – exemplo de que uma imagem de homem subitamente aparecida em nossa consciência seja tomada por um homem real, realmente percebido. Se dispuséssemos apenas da intensidade para distinguir a imagem da percepção, os erros seriam frequentes; formar-se-iam mesmo, em alguns momentos, no crepúsculo, por exemplo, mundos intermediários, compostos de sensações reais e de imagens, a meio caminho entre o sonho e a vigília:

"Acreditar", escreve Spaier, "que a certeza bem fundada é uma questão de força ou de vivacidade das impressões, é simplesmente restaurar a *phantasía kataleptiké*[2] dos estoicos."[3]

Em uma palavra, se a imagem e a percepção não se diferenciam em *qualidade* primeiramente, é inútil buscar a seguir distingui-las pela quantidade.

Foi o que Taine compreendeu bem:

"(A imagem), ele escreve, é a própria sensação, mas consecutiva e ressuscitante, e, *de qualquer ponto de vista que a consideremos*, vemo-la coincidir com a sensação."[4]

Consequentemente, será preciso renunciar a fazer uma distinção intrínseca entre uma imagem *isolada* e uma sensação *isolada*. Em suma, não há mais reconhecimento imediato

---

1. O exemplo que Spaier discute à p. 121 é exatamente desse tipo. (N.A.)
2. A expressão costuma ser traduzida por "representação compreensiva" e descreve o processo que vai da impressão sensível à formação de uma noção na mente. (N.T.)
3. Spaier, *loc.cit.*, p. 121. (N.A.)
4. Taine, *De l'intelligence*, t. I, p. 125. (N.A.)

da imagem como imagem. Ao contrário, a imagem se oferece ao senso íntimo *primeiramente* como sensação.

"Há dois momentos na presença da imagem: um afirmativo, o outro negativo, o segundo restringindo em parte o que foi colocado no primeiro. Se a imagem é muito precisa e muito intensa, esses dois momentos são distintos: no primeiro momento, ela parece exterior, situada a uma certa distância de nós quando se trata de um som ou de um objeto visível, situada em nosso paladar, em nosso olfato, em nossos membros quando se trata de uma sensação de odor, de sabor, de dor ou de prazer local."[1] Assim, a imagem *por natureza* afirma-se como sensação, ela provoca espontaneamente nossa crença na existência de seu objeto. Percebe-se o que segue e que é o resultado direto da atitude metafísica que assinalamos: a imagem como tal perde seu caráter de dado imediato. Para tomar consciência de que o objeto que aí está me é dado presentemente *em imagem*, é preciso uma operação. Chegamos assim a uma segunda solução do problema das "características da imagem verdadeira". Operar-se-ia, segundo Taine, que a propõe, uma discriminação mecânica entre as sensações e as imagens.

"A imagem ordinária, portanto, não é um fato simples, mas duplo. É uma sensação espontânea e consecutiva que, pelo conflito com uma outra sensação não espontânea e primitiva, sofre uma diminuição, uma restrição e uma correção. Ela compreende dois momentos: o primeiro em que parece situada e exterior, o segundo em que essa exterioridade e essa situação lhe são retiradas. Ela é o resultado de uma luta, sua tendência a parecer exterior é combatida e vencida pela tendência contraditória e mais forte que o nervo excitado suscitou no mesmo instante."[2]

Desse modo, a consciência de imagem é mediata, e a luta entre a sensação consecutiva e a sensação primitiva não

---

1. Taine, *De l'intelligence*, p. 89. (N.A.)
2. Taine, *ibid.*, p. 99. (N.A.)

é senão um episódio da *struggle for life* [luta pela vida] darwiniana. O mais forte vence. Taine tem o cuidado de acrescentar que a vitória pode ficar com a sensação "consecutiva e espontânea". Nesse caso, há alucinação. Para que a imagem seja reconhecida como imagem, isto é, "produza seu efeito normal", é preciso haver uma sensação *antagônica*. Na falta dessa sensação – ou se porventura a imagem é mais forte –, estamos diante de um objeto que *de fato* não existe.

Na verdade, essa tese é bastante obscura. Antes de mais nada, é ela de ordem fisiológica ou psicológica? Taine parece hesitar e não querer escolher. Às vezes se poderia acreditar que as sensações e as imagens se opõem como acontecimentos conscientes:

"(...) Retornando a memória, as imagens e as ideias reaparecem, envolvem a imagem por seu cortejo, entram em conflito com ela, impõem-lhe sua ascendência, retiram-na de sua vida solitária, trazem-na de volta à vida social, tornam a mergulhá-la em sua dependência habitual."[1]

Outras vezes, lemos a descrição de um verdadeiro mecanismo cortical de inibição:

"Quando um alucinado, de olhos abertos, vê a poucos passos uma figura ausente quando há diante dele uma simples parede forrada de papel cinza com faixas verdes, a figura cobre e torna invisível um trecho dessa parede; portanto, as sensações que esse trecho deveria provocar são nulas; no entanto, a retina e provavelmente os centros ópticos são excitados de forma ordinária pelos raios cinzas e verdes; em outras palavras, a imagem preponderante aniquila a porção de sensação que a contradiria."[2]

Parece tratar-se aqui claramente de uma inibição cortical, e aliás não se compreende por que as sensações de verde e de cinza são *inibidas*, em vez de serem simplesmente rejeitadas à condição de imagens. Na verdade, Taine não

---

1. Taine, *ibid.*, p. 99. (N.A.)

2. Taine, *ibid.*, p. 101. (N.A.)

decide porque, como vimos mais acima, ele nunca teve uma ideia clara da distinção do fisiológico e do psicológico.

Por outro lado, como se deve entender esse "ajustamento", essa "correção"? A sensação espontânea e consecutiva, diz Taine, é primeiramente *situada* e *exterior*. E ele cita um grande número de exemplos. É o livreiro Nicolai que percebe uma figura de morto "*à distância de dez passos*". É um pintor inglês que "toma" seus modelos "em seu espírito" e os "põe *sobre uma cadeira*". É um amigo de Darwin que, tendo um dia "olhado muito atentamente, com a cabeça inclinada, uma pequena gravura da Virgem e do Menino Jesus (...) ficou surpreso (ao reerguer-se) de perceber *na extremidade do apartamento* uma figura de mulher com uma criança nos braços".

Depois, sob a influência da sensação antagônica, a sensação espontânea perde sua situação e sua exterioridade. Eis o que se mostra difícil de admitir. Com efeito, a exterioridade é uma qualidade intrínseca tanto da primeira quanto da segunda representação; não é uma relação. Sendo assim, de que maneira, ao contato de uma impressão contraditória, poderia a primeira sensação perder sua exterioridade? Certamente é difícil conceber, por exemplo, um homem e uma mesa ocupando o mesmo lugar. Porém, se o homem está "a dez passos de mim", não é a presença da mesa no mesmo lugar que o fará deixar de estar a dez passos. É possível que Taine, cujo vocabulário, aliás, é bastante impreciso como o espírito, confunda exterioridade e objetividade. Mas a dificuldade permanece a mesma: pergunto que antagonismo mecânico poderá fazer passar ao subjetivo uma imagem que se afirma primeiramente como objeto.

Percebe-se o que faltava a Taine: seu associacionismo o impedia de recorrer a um juízo de discriminação. Contudo, todas as suas explicações buscam constituir, com operações mecânicas, um equivalente associacionista desse juízo.

É o que ele não consegue. Em primeiro lugar, seu conceito de "sensação contraditória"[1] toma sorrateiramente emprestado do juízo uma de suas qualidades. De fato, somente dois juízos podem se contradizer. Não posso dizer ao mesmo tempo do mesmo objeto: *ele é branco* e *ele não é branco*. Mas duas sensações podem se contradizer: elas se *compõem*. Se eu projeto "a dez passos" a imagem de um quadrado de tecido branco e nessa mesma distância se encontra, no mesmo instante, um quadrado de tecido preto, não haverá dois objetos antagônicos que se mantêm mutuamente imobilizados: simplesmente verei um quadrado de tecido cinza. Assim, para admitir que as sensações e as imagens se excluem mutuamente, é preciso já ter entendido, sob o nome de imagem, um juízo.

Uma outra observação nos fará compreender isso melhor ainda. Estou em meu quarto, sentado à mesa. Ouço os ligeiros ruídos que a faxineira faz na peça vizinha. Ao mesmo tempo, recordo distintamente, com seu ritmo, seu timbre, sua entonação, uma frase que ouvi pronunciar anteontem. Como é que os ligeiros ruídos que vêm da peça vizinha podem "reduzir" a "sensação consecutiva" da frase, quando não conseguem cobrir os pequenos ruídos de vozes que vêm da rua? Será que não diríamos que eles distinguem entre o que é preciso reduzir e o que é preciso deixar passar? Será que essas sensações de ruídos já não comportariam *um juízo*? Ou então, se convém deixar à teoria de Taine o benefício de uma lógica rigorosa, eu *devo* ter aqui uma alucinação auditiva. Mas, nesse caso, não é cem, nem mil, é uma série incessante de alucinações que vou ter, pois o silêncio do meu quarto, o do campo, que *não são* sensações, não poderiam agir como redutores. Será suficiente ser acometido de surdez para ficarmos doidos varridos?

Há em Taine, além disso, ao lado da tese de uma redução puramente mecânica e certamente fisiológica – mas

---

1. Taine, *ibid.*, p. 101. "É o *redutor especial*, a saber, a sensação contraditória." (N.A.)

que, contra sua vontade, apela ao juízo –, o esboço de uma outra teoria da redução que, nesse caso, faz intervir explicitamente o juízo. Com efeito, ele escreve:

"(...) Além dos pesos constituídos pelas sensações, há outros mais leves que, no entanto, *normalmente bastam para tirar da imagem sua exterioridade*; são as lembranças. Essas lembranças são elas próprias imagens, mas coordenadas e afetadas de um recuo que as situa na linha do tempo... Juízos gerais adquiridos pela experiência lhes são associados e juntos formam um grupo de elementos ligados entre si, uns equilibrados em relação aos outros, de modo que o todo é de uma consistência muito grande e empresta sua força a cada um de seus elementos."[1]

É verdade que, duas páginas adiante[2], certamente assustado com as consequências dessa explicação, que ameaça provocar a ruína da teoria mecânica dos redutores, ele acrescenta:

"Quando uma imagem que adquire uma intensidade extraordinária anula a sensação particular que é seu redutor especial, por mais que a ordem das lembranças subsista e por mais que os juízos se produzam, temos uma alucinação. Na verdade, sabemo-nos alucinados, mas a imagem parece mesmo assim exterior; nossas outras sensações e nossas outras imagens formam ainda um grupo equilibrado, mas esse redutor é insuficiente, pois não é especial."

Em suma, a teoria dos redutores de Taine é uma tentativa de traduzir em termos mecanicistas uma tese mais flexível e mais profunda que confiaria à espontaneidade do juízo o cuidado de discriminar entre imagem e sensação. É essa última concepção – a única que conta e que já se achava subentendida nas outras duas – que vamos discutir agora. Já a encontramos em Descartes e vimos então suas insuficiências no interior do sistema cartesiano. Trata-se

---

1. *Idem, ibid.*, p. 115. (N.A.)
2. *Idem, ibid.*, p. 117. (N.A.)

agora de explicar de um modo muito geral por que não poderíamos nos satisfazer com ela.

Parte-se novamente da afirmação de que sensação e imagem são idênticas em natureza. Afirma-se, uma vez mais, que uma imagem *isolada* não se distingue de uma percepção *isolada*. Mas, desta vez, a discriminação será o produto de um ato judicativo do espírito. É o juízo que vai constituir dois mundos, o do imaginário e o do real, e é ainda o juízo que decidirá, uma vez constituídos esses dois mundos, se tal conteúdo psíquico deve ser colocado num ou noutro. Resta saber *a partir de quais características* se julgará. Só pode ser a partir das relações externas por um lado, a partir do modo de aparecimento, de sucessão e de encadeamento; por outro, a partir da compatibilidade ou da incompatibilidade do conteúdo em questão com os universos que constituímos. O que não fosse compatível com a coerência e a ordem do mundo real, que uma longa aprendizagem nos permitiu reconhecer e construir, nós colocaríamos do lado da subjetividade pura. Spaier, que defende essa tese, escreve:

"É ao julgar sobre a concordância ou a discordância de um dado sensível, seja com o sistema do meu universo exterior atual, seja com o de minha imaginação (que provas longas e incessantes me ensinaram a distinguir do primeiro), é ao fazer juízos de comparação, de adequação, de inadequação, de dependência etc., que eu classifico uma impressão entre as percepções reais ou entre as imagens."[1]

Aqui, duas observações se impõem: em primeiro lugar, o critério da verdade evoluiu. Não se trata mais de uma relação de conformidade ao objeto externo. Estamos num mundo de representações. O critério passou a ser a concordância das representações entre si. Desembaraçamo-nos, assim, do realismo ingênuo. Mas o indício do verdadeiro permanece exterior à própria representação: é pela com-

---

1. Spaier, *La pensée concrete*, p. 120. (N.A.)

paração que se decide se convém incorporá-lo ou não ao grupo "realidade".

Ao mesmo tempo, o problema das "características da imagem verdadeira" muda profundamente de sentido. Não há mais dados "imagem" ou dados "objeto". A partir de dados neutros, trata-se de construir um sistema objetivo. O mundo real não é, ele se faz, sofre incessantes retoques, fica mais flexível, se enriquece; certo grupo tido por muito tempo como objetivo é finalmente rejeitado; ao contrário, um outro, por muito tempo isolado, será de repente incorporado ao sistema. O problema da construção das imagens é idêntico ao da construção do objetivo. A imagem é, entre os dados sensíveis, o que não pode passar para o objetivo. A imagem é a subjetividade. Nunca estivemos tão longe do psicológico: em vez de a natureza da imagem como tal nos ser revelada por uma intuição imediata, é preciso finalmente dispor, para poder afirmar se um conteúdo é imagem ou percepção, de um sistema de referências infinito. Na prática, naturalmente, serão suficientes algumas comparações bem-feitas, mas disso resultará uma consequência bastante grave: o juízo discriminativo nunca será senão *provável*. É assim que Maldidier, no artigo citado anteriormente, fala das "características *prováveis* da imagem verdadeira". De fato, a certeza só poderia vir de um exame comparativo levado ao infinito, sem falar que o próprio sistema de referências modifica-se constantemente. Por exemplo, se um positivista ateu se converter, se aceitar os dogmas e crer nos milagres, não terá mais o mesmo sistema de referência que antes. Chegamos, pois, a esta conclusão paradoxal: além de a natureza profunda da imagem não nos ser revelada por um conhecimento imediato e certo, *nunca teremos certeza* de que tal conteúdo psíquico, aparecido em tal dia e em tal hora, era realmente uma imagem. A introspecção é inteiramente despojada de seus direitos em proveito do juízo, e a consciência, diante de seus dados próprios, adota a atitude hipotético-experimental que geralmente assume diante do mundo exterior.

O caráter artificial dessa concepção salta aos olhos. Ninguém aceitará que seja preciso recorrer a um sistema de referências infinito para estabelecer a discriminação entre uma imagem e uma percepção. Que cada um se reporte à sua experiência interna. Estou sentado, escrevo, vejo os objetos que me cercam; formo, por um instante, a imagem de meu amigo Pedro: todas as teorias do mundo não impedirão o fato de que, no mesmo momento em que a imagem aparecia, eu *sabia* que era uma imagem. O exemplo que Spaier cita em defesa de sua tese[1] não é convincente. Trata-se de um leve crepitar que ele ouve um dia antes de sair:

"Estaria começando a chover? Escuto, repito a operação. Ela me revela a persistência do ruído. Eis aí uma primeira observação, um primeiro *indício*. Vou contentar-me com ele? De modo nenhum. *Pois* pode ser um zumbido interno nos ouvidos. Vou até a janela: nenhuma gota d'água nas vidraças. Mas a chuva pode estar caindo reta. *Por conseguinte*, abro a janela e me inclino para fora... etc."[2]

Quem alguma vez fez tantos esforços para distinguir uma imagem de uma percepção? Se a imagem de um crepitar tivesse atravessado o meu espírito, eu a teria reconhecido na mesma hora como imagem, sem precisar olhar as vidraças nem abrir a janela. Na verdade, pode-se admitir que a cena relatada por Spaier não foi completamente inventada para as necessidades da causa. Mas um grave erro introduziu-se nesse raciocínio. Não é para distinguir entre a imagem de um crepitar e uma percepção que essa série de provas (que se prolonga por mais duas páginas) foi feita: é para distinguir entre uma percepção falsa e uma verdadeira. E, naturalmente, quando não se admite entre imagem

---

1. Não é certo que Spaier teria aceito sem reserva a tese que expúnhamos à página precedente. Mas quisemos sobretudo marcar uma direção e descrever uma atitude geralmente adotada hoje. (N.A.)

2. Spaier, *loc.cit.*, 121. Eu sublinho. (N.A.)

e percepção outra diferença senão a que separa o falso do verdadeiro, é fatal que se chame de imagem toda percepção falsa. Mas é justamente isso que é inadmissível para um psicólogo. Perceber um homem no lugar de uma árvore não é formar uma imagem de homem, é simplesmente *perceber mal* uma árvore. Continuamos no terreno da percepção e, até certo ponto, percebemos com exatidão: há realmente um objeto – a dez passos de nós – na penumbra. É um corpo esguio, alto, com cerca de um metro e oitenta de altura etc. Mas nos enganamos em nossa maneira de apreender o *sentido* desse objeto. Do mesmo modo, se presto atenção para saber se ouvi um crepitar, no fundo isso quer dizer que busco discernir *se foi realmente um crepitar* que ouvi. Posso tomar um ruído orgânico, o ruído da minha respiração, por exemplo[1], como o crepitar da chuva.

Mas, além disso, aceitando a discussão no terreno em que se colocou Spaier, como admitir que o juízo, ao classificar uma representação entre as imagens, possa ao mesmo tempo suprimir sua exterioridade? Taine, que entreviu a discriminação por meio do juízo, não se enganou nesse ponto. Como vimos, ele escrevia:

"(...) Por mais que a ordem das lembranças subsista e por mais que os juízos se produzam, temos uma alucinação; na verdade, sabemo-nos alucinados, mas mesmo assim a imagem parece exterior..."

De fato, é realmente o que parece produzir-se na hipótese de Spaier: se vejo um homem sentado à minha frente, meu juízo pode convencer-me de que se trata de uma visão, de um fantasma; nem por isso deixarei de ver o homem sentado à minha frente. Ou será que devemos acreditar que o juízo recorta e constrói paralelamente a exterioridade e a interioridade em um grupo de conteúdos psíquicos neu-

---

1. Ver a esse respeito as interessantes observações de Lagache sobre o papel do ritmo respiratório nas alucinações auditivas, in *Les Hallucinations verbales et la parole*, Paris, 1934. (N.A.)

tros? Seria ir contra o bom-senso e os dados atuais do problema da percepção.

Porém, mesmo admitindo que esse procedimento de discriminação pudesse às vezes dar certo, na maioria dos casos ele seria inoperante. Em primeiro lugar – e com muita frequência –, faria tomar percepções por imagens, pois a cada instante produzem-se ao redor de nós uma série de pequenos incidentes estranhos, objetos que se movem sozinhos (aparentemente), que estalam ou gemem, aparecem ou desaparecem etc. Todos esses acontecimentos fantásticos, submetidos à reflexão, explicam-se da maneira mais simples do mundo, mas no primeiro momento deveriam nos surpreender; deveríamos ser tentados, ao menos por um instante, a classificá-los entre as imagens. Eu tinha certeza de ter posto meu chapéu no armário, mas eis que o encontro sobre a cadeira. Vou duvidar de mim, "não crer nos meus olhos"? De jeito nenhum. Posso fatigar-me buscando explicações, mas o que tomarei por estabelecido, de uma ponta a outra de minhas reflexões, sem mesmo dar-me ao trabalho de ir tocar o chapéu, é que o chapéu que vejo é realmente o *meu* chapéu *real*. Acredito que meu amigo Pedro está na América, mas eis que o avisto na esquina de uma rua. Vou dizer-me: "É uma imagem"? Em absoluto: minha primeira reação é saber como é possível ele já ter regressado: foi chamado de volta? Alguém está doente em sua casa? etc. Recordo mesmo ter encontrado um dia um ex-colega de ginásio que eu acreditava morto. Na realidade, produzira-se uma contaminação entre duas lembranças, mas eu juraria ter recebido um comunicado de seu falecimento. Essa convicção de modo nenhum impediu que meu primeiro pensamento, assim que o avistei, fosse: "Então eu estava enganado: não foi ele que morreu, deve ter sido fulano etc." Aonde queremos chegar com isso? Ao seguinte: longe de motivos racionais poderem nos fazer duvidar de nossas percepções, são nossas percepções que regem e dirigem nossos juízos e nossos raciocínios. É a elas que adaptamos constantemente nossos sistemas de referência. Posso estar convencido de que X morreu ou viaja para um lugar distante: se o vejo, *reviso* meus julgamentos. A percepção é uma fonte primária de conhecimento, ela nos apresenta os próprios objetos; é uma das espécies cardinais de intuição, o que os alemães chamam uma "intuição doadora original" (*originär gebende Anschauung*), e sentimos isso tão bem que nossa disposição de espírito a respeito dela é o inverso da que Spaier descreve: em vez de criticá-la, buscamos apenas, assim que ela aparece, justificá-la por todos os meios. Algumas pessoas que acreditaram ver Pedro, quando é *impossível* que Pedro esteja na França (ele foi visto embarcar para Nova York três dias antes), sustentarão inclusive, com os argumentos mais sofísticos e os mais inverossímeis, os direitos de sua percepção (falsa) contra os do raciocínio.

Em segundo lugar, e inversamente, esse procedimento de discriminação seria na maior parte do tempo muito insuficiente para revelar as imagens como imagens. Com efeito, para que ele desse certo, seria preciso que nossas imaginações fossem na maioria das vezes fantásticas, irracionais, líricas e tão diferentes das percepções cotidianas que o juízo pudesse com alguma probabilidade afastá-las do mundo real. Em vez disso, qual é, em linhas gerais, o mundo imaginário em que vivo? Pois bem, estou esperando meu amigo Pedro, que pode chegar de um instante para o outro, e imagino seu rosto; fui ontem à noite à casa de João e lembro-me de seu traje. Penso a seguir nos colarinhos postiços que estão em meu armário, depois no meu tinteiro etc. etc. Todas essas imagens familiares não são contraditadas por nada de real. A porta do vestíbulo está aberta na penumbra. Nada impede que eu projete a imagem de Pedro sobre esse fundo escuro. E, se isso acontecesse, como ele tem a chave do apartamento, eu não teria nenhuma razão para pôr em dúvida a realidade dessa imagem. Mas, dirão, e se ele não se aproxima? Se não responde quando você o interpela, se desaparece de repente? Nesse caso, certamente, eu o tomaria por uma alucinação. Mas quem, pergunto, ousará de boa-fé afirmar que recorreu a esses meios para classificar uma aparição entre as imagens ou as percepções? Em realidade, na maioria das vezes, o curso de nossas imagens regula-se pelo de nossas percepções, e o que imaginamos não faz senão preceder um pouco o que vai acontecer, ou acompanhar de perto o que acaba de se produzir. Caso contrário, a percepção deveria ser a cada instante uma conquista sobre o sonho, e seria preciso arriscar-se continuamente a negar, a partir de simples presunções, a realidade de tal figura e a afirmar, sem razão decisiva, a existência real de uma outra. O universo sensível, tão penosamente construído, seria perpetuamente invadido por visões totalmente verossímeis que precisaríamos, no entanto, afastar de um jeito ou de outro, sem nunca estarmos absolutamente seguros de ter esse direito. Vê-se que o mundo assim descrito, um mundo em que nunca se acaba de corrigir as aparências, um mundo em que toda percepção é conquista e juízo, não corresponde de modo algum ao mundo que nos cerca. De fato, os objetos são relativamente estáveis, relativamente claros: certamente é preciso muitas vezes esperar antes de estar seguro sobre a natureza de um objeto; certamente essa espera pode ser dada como a essência da atitude perceptiva. Mas as aparências que assim se dissipam não são imagens, são apenas aspectos incompletos das coisas. Nenhuma imagem, nunca, vem misturar-se às coisas reais. E é bom que seja desse modo, pois, como acabamos de ver, se elas se misturassem, não teríamos meio algum de separá-las e o mundo da vigília não se distinguiria nitidamente do mundo do sonho.

Assim, quando se afirmou de início a identidade fundamental das percepções e das imagens, tornou-se forçoso recorrer a juízos de probabilidade para distingui-las a seguir. Mas esses juízos de probabilidade não poderiam encontrar base sólida: com efeito, seria preciso que a ordem das percepções e a das imagens se diferenciassem nitidamente e possibilitassem um juízo discriminativo. O que vale dizer que, se a diferenciação não é *dada* primeiramente de alguma maneira, nenhum poder do entendimento será capaz de estabelecê-la. E é o que se podia prever desde o início: quando se começa por afirmar a identidade essencial de dois objetos, essa afirmação retira, por sua própria natureza, a possibilidade de distingui-los posteriormente. Portanto, a teoria metafísica da imagem fracassa definitivamente em sua tentativa de reencontrar a consciência espontânea da imagem, e o primeiro passo de uma psicologia concreta deve ser desembaraçar-se de todos os postulados metafísicos. Ela deve partir, ao contrário, deste dado irrefutável: é impossível, para mim, formar uma imagem sem saber ao mesmo tempo que formo uma imagem; e o conhecimento imediato que tenho da imagem como tal poderá tornar-se a base de juízos de existência (do tipo: tenho uma imagem de X – isto é uma imagem etc.), mas ele próprio é *uma evidência antepredicativa*.

Encontraríamos certamente mais de um psicólogo, hoje, para concordar com esse princípio. Mas muito poucos veem claramente o que essa adesão implica. É assim que Meyerson, no artigo que citamos antes, pode escrever:

"A imagem não é uma percepção ou uma sensação enfraquecida; não é um pálido reflexo do passado. A imagem está a caminho da abstração e da generalização, está a caminho do pensamento... A imagem, portanto, é uma percepção repensada e, por mais grosseira que possa parecer ainda, racionalizada; já é uma racionalização do dado sensível."[1]

Afirmar que a imagem não é uma percepção é muito correto. Porém, não basta afirmar isso: é preciso ainda apoiar essa afirmação sobre uma descrição coerente do fato psíquico "imagem". Se implicitamente se volta a confundir imagem e percepção, será inútil clamar tão alto que

---

1. Meyerson, in *Nouveau Traité de Psychologie*, t. II, p. 594. (N.A.)

elas se distinguem. Ora, basta ler com alguma atenção o texto que acabamos de citar para ver que a descrição que Meyerson apresenta da imagem conviria palavra por palavra à percepção. A imagem, diz ele, é uma "racionalização do dado sensível". Mas ocorre de um modo diferente com a percepção? Há uma percepção que não seja um ato de pensamento? Há uma percepção que seja um dado sensível puro, privado de uma síntese intencional? A imagem está "a caminho da abstração e da generalização". O que ele está querendo dizer: que não há imagem absolutamente particular? Em primeiro lugar, isso não é inteiramente exato: é uma interpretação errônea de um fato real que tentaremos, em outro momento, explicar. Mas, ainda que fosse, não é rigorosamente a mesma coisa que ocorre com a percepção? Percebo "um tinteiro", "uma mesa", "uma poltrona Luís XVI"; para chegar ao individual, à matéria sensível, a *esta cor particular* do tecido que cobre a poltrona, é preciso fazer um esforço, inverter a direção da atenção. Ou ainda, como diz Spaier, dirigem-me um sorriso e percebo a *benevolência*; agitam uma bandeira e percebo a nação, o emblema do partido ou da classe. Não estou igualmente a meio caminho da abstração e da generalização? Se comparo a percepção de *uma* casa (vi uma bandeira na janela de *uma* casa) à imagem-lembrança *da* casa na qual passei minha infância, qual desses dois atos de consciência pertence ao geral e qual pertence ao particular? A imagem é uma percepção repensada, diz Meyerson. Mas quando, então, a percepção será "repensada"? Devemos imaginar as trevas propícias de um inconsciente no qual se poderá fazer, despercebido, todo um pequeno trabalho de polimento? Ou diremos que a transformação se produz no momento em que a imagem aparece à consciência? Nesse caso, por que *repensaríamos* agora essa percepção renascente? Por que não a *pensamos* quando ela nos apareceu a primeira vez? Vê-se que Meyerson, semelhante nesse ponto a muitos psicólogos contemporâneos, fez bem a distinção que se impunha, mas não soube por que a fazia.

O texto que acabamos de citar nos faz compreender claramente o que implica esta afirmação: "Há uma diferença de natureza entre percepção e imagem". Meyerson, de certo modo, distinguiu na imagem a matéria e a forma. A matéria é o dado sensível. É também a matéria da percepção. Mas ela recebeu uma outra forma, isto é, foi penetrada de razão. Contudo, o fracasso de sua tentativa de diferenciação mostra-nos que a forma não poderia ser suficiente para distinguir a imagem da percepção. Certamente veremos, mais tarde, que a *intenção* de uma imagem não é a de uma percepção. Cumpre ainda estabelecer que a imagem e a percepção não têm a mesma matéria. Reencontramos aqui o famoso problema aristotélico: é a forma ou a matéria que individualiza? No que se refere à imagem, responderemos: tanto uma quanto a outra. Se, como se pensa, a matéria da percepção é o dado sensível, é preciso então que a matéria da imagem não seja sensível. Se, de uma maneira qualquer, a estrutura psíquica "imagem" tem por base uma sensação renascente – mesmo racionalizada e recomposta –, torna-se radicalmente impossível, não importa como se proceda, estabelecer uma distinção qualquer entre a imagem e o real, entre o universo da vigília e o mundo do sonho.

2) O problema das relações da imagem com o pensamento

A imagem, portanto, é quase universalmente considerada como tendo um conteúdo sensível, ou seja, possui uma matéria impressiva idêntica à da percepção. Essa matéria exige do espírito uma parcela de receptividade; é um irracional, um *dado*. Admitindo, com Spaier, que "tomar consciência é constatar", há, na base da imagem, algo que apenas *é* e que se deixa constatar. Esse é também, dirão, o caso da percepção. Sem dúvida: mas, precisamente, o objeto percebido se opõe e se impõe ao pensamento; devemos regular por ele o curso de nossas ideias, devemos *esperá-lo*, fazer hipóteses sobre sua natureza, observá-lo. Será essa atitude possível e conservará um sentido quando se trata de uma imagem, isto é, de algo que se apresenta como um auxílio ao pensamento? A imagem serve para decifrar, compreender, explicar: mas será preciso primeiro decifrá-la, compreendê-la, explicá-la? E como isso é possível? Por meio de uma outra imagem? A bem dizer, essas dificuldades, que saltam aos olhos, não poderiam ser evitadas, pois a imagem, que inicialmente se assimilou à percepção, é também pensamento. *Formamos* imagens, *construímos* esquemas. E o que complica necessariamente a questão é que os autores em sua maior parte, após terem feito da imagem um objeto exterior, fazem dela, ainda por cima, uma ideia. Assim Spaier, após ter mostrado que era preciso recorrer ao juízo e mesmo ao raciocínio para distinguir a imagem da percepção, não teme escrever:

"Não há, de um lado, *imagens* e, de outro, *ideias*: há somente conceitos mais ou menos concretos."

É verdade que, após ter tentado esclarecer a maneira como a imagem é elaborada e esquematizada pelo pensamento, ele insiste, paralelamente, na parcela de construção que encontramos na percepção exterior. Toda imagem é significação: mas isso porque toda percepção é juízo.

"(...) Não há sensações brutas como tampouco há imagens puras e, nesse aspecto, nada se opõe à identificação da consciência, assim como de seus conteúdos mais sensíveis, com o pensamento."

Mas, em primeiro lugar, o fato de que conteúdos sensíveis sejam racionalizados pelo pensamento não significa evidentemente que esses conteúdos sejam *idênticos* ao pensamento; muito pelo contrário. Além disso, sob essas afirmações definitivas, adivinha-se uma flutuação das ideias: a imagem, para Spaier, não tem a mesma *função* que a percepção

Ela demonstra uma mobilidade, uma transparência, uma docilidade graças às quais se pode assimilá-la ao pensamento judicativo e discursivo. Mas, se é *assim* que a imagem é pensada, então a percepção não é um pensamento. Com efeito, é seu conteúdo sensível que faz a exterioridade e a objetividade da percepção. Como então admitir que o conteúdo sensível *aqui* se oponha à consciência e a obrigue a observar, a ter paciência, a fazer conjecturas, enquanto *lá* ele participa da fluidez, da mobilidade, da transparência do subjetivo? Em suma, se a imagem tem um conteúdo sensível, será talvez possível pensar *sobre* ela, mas não se poderia pensar *com* ela.

Essa participação da imagem no sensível pode ser entendida de duas maneiras: como Descartes ou como Hume.

Vimos que Descartes, por sua teoria da imaginação, coloca-se no plano psicofisiológico. Há uma alma *e* há um corpo. A imagem é uma ideia que a alma forma por ocasião de uma afecção do corpo. Se desembaraçarmos essa concepção do vocabulário cartesiano, restará o seguinte: os centros psicossensoriais podem ser excitados por um estímulo interior ou por um estímulo exterior. Chama-se de imagem o estado de consciência que corresponde ao primeiro tipo de excitação e de percepção o que corresponde ao segundo. O fundamento dessa tese é a afirmação de que as células ou os grupos de células nervosas têm a capacidade de se recolocar, sob influências diversas, no estado em que um excitante exterior as colocou – chame-se essa possibilidade de *traço* cerebral ou *engrama*. Mas, se for assim, a ordem de aparecimento das imagens na consciência será o resultado do trajeto dos "espíritos animais", ou seja, dependerá dos circuitos associativos e do trajeto do influxo nervoso. Em suma, é um determinismo fisiológico que regerá a sucessão das imagens da consciência: essa ou aquela representação surgirá na consciência por ocasião do "despertar" desse ou daquele grupo associativo. Mas, então, como poderemos apresentar a imagem como um auxílio efetivo do pensamento?

Descartes, que havia previsto a objeção, imaginava uma espécie de contingência fisiológica que permitiria à alma dirigir os espíritos animais à vontade. Vimos antes que essa estranha teoria não é admissível. Resta a hipótese de um determinismo fisiológico integral. Nesse caso, a ordem de aparecimento das imagens será, como Claparède compreendeu bem, regulada por uma contiguidade real e material: a dos "traços" cerebrais no espaço.[1] Mas então a sucessão das imagens se verá regida por leis mecânicas e objetivas. A imagem torna-se uma parte do universo exterior. Certamente se trata, antes de tudo, de um ato psíquico. Porém, esse ato corresponde rigorosamente a uma modificação fisiológica. Em outras palavras, devemos *esperar* nossas imagens como *esperamos* os objetos: esperar a imagem de Pedro como espero meu amigo Pedro em pessoa. O que vem a ser então o pensamento? Pois bem, ele está precisamente *diante* das imagens assim como diante da percepção: é *o que não é* imagem, o que não é percepção. Só que ele não pode chamar as imagens em seu auxílio; não pode tampouco chamar um objeto exterior. Se aceitamos essas premissas, torna-se necessário aceitar também as observações de James (que, aliás, Claparède cita em seu livro): não se pode admitir que o pensamento de uma semelhança faça surgir, por ocasião de uma percepção, uma imagem que se assemelhe a essa percepção. Em vez disso, a contiguidade mecânica faz surgir a imagem ao mesmo tempo que a percepção ou que a imagem considerada, e é somente então que o pensamento pode constatar a semelhança. Em suma, o pensamento não pode servir de tema dominante, em torno do qual se organizariam imagens, como ferramentas, aproximações. O pensamento é rigorosamente reduzido a uma única função: captar relações entre dois tipos de objetos, os objetos-coisas e os objetos-imagens. Como diz Alain em um sentido não muito diferente: "Não se pensa o que se quer".

---

1. Claparède, *L'association des idées*, 1903. (N.A.)

Muito bem, mas o que vêm a ser então as leis lógicas? Sem dúvida pode-se tentar reduzi-las, elas também, a ligações associativas. Nesse caso, de uma forma ou de outra, reencontramos o associacionismo de Taine. Contudo, se devemos manter a existência de um pensamento autônomo, somos obrigados a reduzi-lo ao simples juízo imediato, afirmando, no instante, essa ou aquela relação entre duas percepções, duas imagens, ou uma imagem e uma percepção, que apareceram fora dele e como que a despeito dele. Quem reconhecerá nesse pensamento mutilado, acidentado, claramente detido em seus desenvolvimentos por aparições sempre novas e sem relações lógicas entre si, quem reconhecerá a faculdade de raciocinar, de conceber, de construir máquinas, de realizar experiências mentais etc.?

Há uma única maneira de sairmos da dificuldade: é aceitar o paralelismo integral dos modos da extensão e dos modos do pensamento. Nesse caso, afecções corporais corresponderão também ao pensamento lógico, e nada poderia impedir que, por um mecanismo puramente fisiológico, essas novas afecções provocassem o "despertar" de traços que corresponderiam a imagens. Assim, poderíamos admitir um pensamento que escolhe imagens e modifica, em uma certa medida, a ordem de aparecimento delas. Pelo menos não haveria mais impossibilidade *do ponto de vista do mecanicismo*. Mas não escapa a ninguém que o paralelismo integral só é aceitável na metafísica de Spinoza. Com efeito, se devêssemos compreender esse mecanismo corporal como dirigindo e *explicando* a sucessão dos fatos psíquicos, a espontaneidade da consciência desapareceria, as leis lógicas se reduziriam a ser apenas símbolos de leis fisiológicas: cairíamos no epifenomenismo. É preciso, pois, entender esse paralelismo de um modo bem diferente, isto é, como Spinoza não se cansa de repetir, que um pensamento deverá ser explicado por um pensamento e um movimento por outro movimento. De modo que, ao menos em psicologia, esse paralelismo, por querer explicar tudo, não explica absolutamente mais nada. Vale dizer que é preciso estudar o domínio da consciência em termos de consciência e o domínio do fisiológico em termos fisiológicos. Em suma, por termos buscado um sistema mecânico que explicasse o poder organizador do pensamento, somos reenviados à consciência e obrigados a formular a questão em termos estritamente psicológicos. É impossível ater-se ao dualismo cartesiano, cumpre abandonar todas as explicações pelos traços, pelas contiguidades nervosas etc. Pode-se admitir, se quiserem, que a cada imagem, que a cada pensamento corresponde uma afecção corporal, mas *precisamente por isso* o corpo nada explica e é necessário considerar a relação do pensamento com a imagem tal como aparece à consciência.

Somos assim levados, por necessidade, a considerar a participação da imagem no sensível a partir do segundo ponto de vista, isto é, à maneira de Hume. No ponto de partida, Hume nada sabe do corpo. Ele parte – ou acredita partir – dos dados imediatos da experiência: há impressões fortes e impressões fracas. As segundas são imagens e só se diferenciam das primeiras em intensidade. Superamos, por essa conversão, as dificuldades que havíamos encontrado no início? Acreditamos que não: gostaríamos de mostrar que elas não se devem ao ponto de vista escolhido, mas à concepção da imagem como um conteúdo sensível.

De fato, a primeira característica das "impressões" de Hume é sua opacidade. E é essa opacidade que lhes constitui a qualidade de sensível. Nada mais verdadeiro, aliás, quando se trata das percepções. Afinal, há na cor amarela deste cinzeiro, na rugosidade deste pedaço de madeira algo de irredutível, de incompreensível, de *dado*. Esse dado representa não apenas a parte de opacidade, mas também a parte de receptividade da percepção. Opacidade e receptividade, aliás, que não são mais que as duas faces de uma mesma realidade. No entanto, Hume não se limita a descrever os conteúdos sensíveis da percepção: ele quer compor o mundo da consciência por meio desses simples conteúdos, isto é, ele duplica a ordem da percepção por uma ordem das imagens, que são esses mesmos conteúdos sensíveis em um grau menor de intensidade. Assim, as imagens do associacionismo representam centros de opacidade e de receptividade. A cor amarela deste cinzeiro, quando renasce a título de impressão enfraquecida, conserva seu caráter de *dado*: permanece um irredutível, um irracional. Antes de tudo, e precisamente porque é passividade pura, ela continua sendo um elemento *inerte*. O que se deve entender por isso? É que ela não poderia encontrar em si, na intimidade de seu ser, a razão de seu aparecimento. Não poderia, por si mesma, renascer ou desaparecer. É preciso que ela seja evocada ou reprimida por outra coisa diferente dela. Mas essa "outra coisa" não pode ser uma espontaneidade sistematizadora. Afinal, uma espontaneidade não poderia conter partes de passividade. Ela é inteiramente atividade e, por conseguinte, translúcida a si mesma – ou não é espontaneidade. Na realidade, a afirmação de conteúdos sensíveis nos transporta a um mundo de exterioridade pura, isto é, a um mundo no qual conteúdos inertes são determinados em seus modos de aparecimento por outros conteúdos igualmente inertes, um mundo no qual todas as mudanças, todos os impulsos vêm do exterior e permanecem profundamente exteriores ao conteúdo que eles animam. Eis por que as grandes leis do associacionismo deviam conter, cada qual, como que uma afirmação implícita do princípio de inércia. E é o que não deixam de fazer: o que é a lei de semelhança senão a afirmação de ligações de exterioridade entre os conteúdos psíquicos? De fato, é um acidente para Pedro ser parecido com João. O que é, sobretudo, a lei de contiguidade senão a tradução pura e simples do princípio de inércia em termos psicológicos? De acordo com essa última lei, o único princípio de ligação entre dois conteúdos é o encontro, o contato. Assim, todo conteúdo de consciência é, de certo modo, exterior a si mesmo: um choque o faz aparecer, um choque o reprime fora da consciência. Vemos agora o que é a consciência para o associacionismo: é simplesmente o mundo das coisas. Com efeito, existe apenas um mundo de exterioridade, o mundo exterior. Entre esta bola vermelha e a percepção desta bola não há diferença. Esta bola é um corpo inerte que permanece imóvel enquanto nenhuma força vem comunicar-lhe um movimento, mas que persiste ao infinito em seu movimento se nada vier freá-la. A percepção desta bola é um conteúdo inerte que não poderia aparecer sem ser impelido ao centro da consciência por algum outro conteúdo, mas que, uma vez aparecido, permanecerá indefinidamente presente se nada vier reprimi-lo. É com razão que Laporte pôde comparar Hume aos neorrealistas. Também para estes existem apenas objetos que mantêm entre si relações externas: a consciência não é mais que uma coleção desses objetos considerados do ponto de vista de um certo tipo de relações (as leis de associação). Mas nesse caso, dirão, que diferença há entre a lei de contiguidade tal como a entende Descartes e a mesma lei tal como a apresenta o associacionismo? Responderemos: nenhuma. A lei de contiguidade cartesiana diz respeito aos traços cerebrais. A contiguidade é entendida no sentido espacial e repousa expressamente sobre o princípio de inércia. A lei de contiguidade associacionista deriva também do princípio de inércia e, embora não seja estritamente entendida no sentido espacial, implica do mesmo modo exterioridade e contato. Só que, em Descartes, as ligações associativas se estabelecem entre as marcas deixadas pelos objetos, ao passo que, em Hume, elas se dão entre os próprios objetos.

Mas Hume é perfeitamente lógico: seu sistema deve ser aceito ou rejeitado em bloco. Tendo estabelecido que os elementos da consciência são naturezas passivas, ele aplicou o princípio de inércia ao domínio psíquico e reduziu a consciência a uma coleção de conteúdos inertes ligados por relações de exterioridade. Portanto, parece que uma psicologia que se pretende "sintética" e que afirma a existência, no seio da consciência, de uma espontaneidade deveria renunciar expressamente a todas as teses de Hume. Naturalmente, seria preciso aceitar a existência de conteúdos sensíveis na percepção. Mas se reconheceria, por esse mesmo fato, que a ordem de sua sucessão é rigorosamente independente da consciência. E, realmente, não tenho o poder de ver um chapéu neste cabide ou um piano no lugar da poltrona. O aparecimento dos conteúdos sensíveis, portanto, continuaria sendo regido por um certo tipo de associação. É o que Husserl exprime ao dizer que o princípio da ligação dos conteúdos sensíveis é a *gênese passiva por associação*, cuja forma essencial é o escoamento temporal.[1] A consciência psicológica[2] não poderia dirigir essa sucessão; porém, já que toda consciência é ato, ela a "*constata*", como diz Spaier. Com essa constatação, cujas estruturas devem ser o objeto de uma descrição especial, surge a percepção do mundo exterior.

Mas seria de esperar, quando se volta às imagens, que a psicologia de síntese rejeitasse expressamente sua origem sensível e sua assimilação a "impressões fracas". Das duas, uma: ou elas continuam sendo conteúdos inertes, e nesse caso é preciso limitar o papel da espontaneidade à apercepção de relações entre imagens que se evocam umas às outras pelas leis de associação, ou se afirma que a consciência é organização, sistematização, que o escoamento dos fatos psíquicos é regido por temas diretores, e nesse caso a imagem não pode mais ser assimilada a um conteúdo de opacidade receptiva. Assim, nada ganhamos ao passar ao plano da psicologia pura: ao contrário, a necessidade de escolher

---

1. Cf. a descrição dessa gênese passiva em *Meditações cartesianas*. (N.A.)
2. A ser distinguida, segundo Husserl, da consciência absoluta ou fenomenológica. (N.A.)

mostra-se mais premente; não se poderia mais buscar refúgio em escapatórias psicofisiológicas.

Ora, os psicólogos de síntese *não escolheram*. Certamente, afirmam que todo estado de consciência é síntese, que o todo dá seu sentido e seu valor às partes, que o pensamento dirige e escolhe suas imagens. Mas eles conservam a base sensível dessas imagens: não é preciso mais para falsear radicalmente sua psicologia.

Se são estabelecidos conteúdos sensíveis, é preciso ligá-los, de uma forma ou de outra, por leis de associação, pois são as únicas que convêm à inércia. E, na verdade, há muito poucos psicólogos que neguem absolutamente as leis de associação. Como parece tão certo que *pertencem* ao dado sensível, elas são conservadas em um plano inferior, o plano do sonho, da distração, da "baixa tensão". Mas, ao mesmo tempo, admite-se uma harmonia constante entre as imagens atualmente presentes na consciência e os temas diretores atuais do pensamento. Como isso é possível?

É que o pensamento, dizem, *escolhe* suas imagens. Mas como pode se operar essa escolha? Há suspensão das leis de associação, ou o pensamento as utiliza em seu proveito? Assim, o problema que era colocado pela fisiologia cartesiana reaparece por inteiro no plano da psicologia pura. Há pouco perguntávamos: como pode o pensamento dirigir os espíritos animais, utilizar em seu proveito a contiguidade cerebral? Agora colocamos a mesma questão em termos não muito diferentes: como pode o pensamento dirigir as associações, utilizar em seu proveito a contiguidade psicológica? Está bem entendido que o pensamento não cria suas imagens. Como poderia essa espontaneidade criar o inerte, como poderia essa transparência produzir o opaco? É preciso, pois, que ela *vá buscá-los*. Aqui, naturalmente, um reservatório de conteúdos inertes é concebido para as necessidades da causa: o inconsciente. E vimos o problema que Hume enfrenta pela ausência dessa noção.

Ele não chega ao ponto de inventá-la, mas ela é implicada por toda a sua psicologia. Os autores modernos fazem um grande uso dela. Mas esse inconsciente no qual conteúdos inertes existem como coisas, isto é, sem serem conscientes *de si* nem *para outrem*, no qual dados opacos mantêm entre si apenas relações de contato ou de semelhança, não é claro que esse inconsciente é um meio espacial rigorosamente assimilável ao cérebro?

Portanto, só as palavras mudaram. E se dizem em seguida que o pensamento *vai buscar* as imagens, a consequência é inevitável: transforma-se o pensamento numa força material. A confusão se faz por meio de uma analogia: no mundo exterior se encontram, do mesmo modo, objetos inertes. Mas posso pegá-los, mudá-los de lugar, tirá-los de ou recolocá-los numa gaveta. Parece, pois, que se pode conceber uma *atividade* que é exercida sobre dados passivos. Mas é fácil, aqui, revelar o erro: se posso levantar este livro ou esta xícara, é na medida em que sou um organismo, ou seja, um corpo submetido às mesmas leis de inércia. O simples fato de eu poder opor meu polegar a meus quatro outros dedos num gesto de preensão supõe já toda a mecânica. A atividade aqui é somente uma aparência. É impossível dar ao pensamento um poder de evocação sobre os conteúdos inertes sem ao mesmo tempo materializá-lo. Transformar esse poder positivo de evocação num poder negativo de *seleção* resolve a dificuldade apenas aparentemente. De fato, *afastar* supõe uma força material de preensão, uma ação por contato, assim como *evocar*. Contudo, dirão, você se deixa enganar por uma imagem: quando se diz que o pensamento evoca, afasta, que a consciência seleciona, fala-se no sentido figurado. Sem dúvida, mas queremos saber o que há *por trás* dessas imagens. Se as palavras são metáforas, que nos façam compreender a realidade que se oculta sob as palavras. Mas é evidente que não há *nada* sob as palavras, por trás das imagens, porque não pode haver nada. Chama-se de espontânea uma existência que se determina por ela mesma a existir. Em outros termos, existir espontaneamente é existir para si e por si. Uma única realidade merece assim o nome de espontânea: a consciência. Para ela, existir e ter consciência de existir é a mesma coisa. Ou seja, a grande lei ontológica da consciência é a seguinte: *a única maneira de existir para uma consciência é ter consciência de que ela existe*. Segue-se evidentemente que a consciência pode determinar-se ela própria a existir, mas não poderia ter ação sobre outra coisa que não ela mesma. Pode-se formar uma consciência por ocasião de um conteúdo sensível, mas não se pode agir pela consciência sobre esse conteúdo sensível, isto é, tirá-lo do nada – ou do inconsciente – ou enviá-lo de volta ao nada. Portanto, se a imagem é consciência, ela é espontaneidade pura, isto é, consciência de si, transparência para si, e só existe na medida em que se conhece. Portanto, ela não é um conteúdo sensível. É absolutamente inútil representá-la como "racionalizada", como "penetrada de pensamento". É preciso escolher: ou ela é inteiramente pensamento – e então se poderá pensar *por* imagem; ou é conteúdo sensível – e nesse caso se poderá pensar *por ocasião* de uma imagem. Mas, no segundo caso, a imagem torna-se independente da consciência: ela *aparece* à consciência, segundo leis que lhe são próprias, mas *não é* consciência. E então essa imagem que se deve esperar, decifrar, observar, é simplesmente *uma coisa*. Assim, todo conteúdo inerte e opaco se coloca, pela necessidade de seu tipo de existência, entre os objetos, isto é, no mundo exterior. É uma lei ontológica a de que há somente dois tipos de existência: a existência como coisa do mundo e a existência como consciência.

O que vai mostrar claramente que a imagem, transformada em "conteúdo sensível", é rejeitada fora do pensamento é o fato de que os psicólogos contemporâneos aceitarão implicitamente uma distinção radical entre a imagem e o pensamento dessa imagem. Hoernlé, como vimos, distingue a imagem e sua significação – a *coisa* "imagem" e o que a imagem é *para o pensamento*. Do mesmo modo Spaier:

"Nossa atenção não se dirige para o objeto da intuição sensível (para a imagem ou a percepção), mas para a significação."

Eis aí, portanto, a imagem afirmada como objeto independente, apreendida pelo pensamento de uma forma ou de outra, mas que existe *em si* de um modo diferente do que ela é para a consciência. Spaier dá um exemplo que conserva um valor indiscutível para a percepção: *vejo* um sorriso (as comissuras dos lábios se mexem, as narinas se dilatam, as sobrancelhas se levantam etc.) e *percebo* uma *benevolência*. Mas o que devemos entender por isso? É que existe uma certa *coisa*, fora de mim, que é um rosto. Esse rosto tem uma existência própria, ele é o que é, tem uma quantidade infinita de aspectos; além disso, contém uma infinidade de detalhes que não posso ver (os poros, as células). O conhecimento desse rosto requer uma aproximação infinita. Portanto, ele é infinitamente mais rico do que me aparece. Daí a necessidade de esperar, de observar, de enganar-se. Porém, já que a assimilação da imagem pela percepção é feita explicitamente no texto que citávamos antes, temos o direito de aplicar palavra por palavra, à *imagem* de um rosto que sorri, a descrição que acabamos de fazer. O rosto que renasce em imagem deve ter também seus poros, suas células, sua multiplicidade de aspectos. Consequentemente, pois é isso que define a transcendência da coisa, ele também é *uma coisa*. Só que apreendemos essa coisa como significação. Portanto, se quisermos sair de dificuldades insolúveis e afirmar a imagem como fato de consciência, teremos de renunciar a distinguir o que ela é do que ela parece, ou, se preferirem, afirmar que o modo de *ser* da imagem é exatamente seu "*parecer*".

Podemos concluir. Toda teoria da imaginação deve satisfazer duas exigências: justificar a discriminação espontânea que o espírito opera entre suas imagens e suas percepções e explicar o papel que a imagem desempenha nas operações do pensamento. Qualquer que seja a forma que tenha tomado, a concepção clássica da imagem não pôde cumprir essas duas tarefas essenciais: dar à imagem um conteúdo sensível é fazer dela uma *coisa* que obedece às leis das coisas e não às da consciência: retira-se assim do espírito qualquer possibilidade de distingui-la das outras *coisas* do mundo. Torna-se impossível, ao mesmo tempo, conceber a relação dessa coisa com o pensamento. De fato, se subtraímos a imagem à consciência, tiramos desta última toda a sua liberdade. Se a fazemos entrar na consciência, todo o universo entra com ela e a consciência prontamente se solidifica, como uma solução supersaturada.

Compreende-se assim a ofensiva que vimos delinear-se, antes da guerra, contra a imagem. Ela impede de pensar, já diziam Binet e vários psicólogos de Würzburg. Outros foram mais longe: se a imagem só pode existir sobre as bases de uma revivescência sensorial, somos obrigados a aceitar o associacionismo, a psicologia atomística, a justaposição dos conteúdos do pensamento. A imagem é um ser de razão que só podia convir à época das localizações cerebrais. Juntamente com as hipóteses de Broca, de Wernicke, ela deve desaparecer: não há lugar para ela em uma psicologia de síntese. Moutier, discípulo de Marie, escreveu em 1908:[1]

"O grande erro, na questão das imagens, foi crer nestas como em realidades. Perdeu-se de vista sua existência inteiramente hipotética, convencional, e aos poucos acabou-se por destacá-las da palavra e da ideia. Acabou-se por admitir no cérebro imagens sem palavras, sem ideias, sem nenhum atributo, imagens puras. Opuseram-se as imagens das palavras às palavras propriamente ditas, as ideias foram separadas das

---
1. Moutier, *L'Aphasie de Broca*, cap. VII: "Des images verbales". (N.A.)

palavras e das imagens, e acabou-se por descobrir na linguagem interior três maneiras de ser: por palavras, por imagens das palavras, por ideias puras. Há imagens assim como há *substância pensante*; são 'realidades metafísicas' que não correspondem a nenhuma experiência."

Essa concepção, que representa, em suma, o espírito de síntese inteiramente puro, recusa-se a considerar elementos isolados na vida psíquica. Mas ela permanece bastante obscura: em primeiro lugar, estamos no terreno incerto da psicologia fisiológica; fala-se de imagens e de ideias "no cérebro". E não sabemos o que isso quer dizer. Trata-se de uma hipótese fisiológica que apresenta o cérebro como um órgão que funciona como o coração ou o fígado na unidade de uma síntese biológica? Trata-se de uma teoria psicológica relacionada à indivisibilidade do estado psíquico? Trata-se das duas ao mesmo tempo? Além disso, em que medida se nega a realidade da imagem? Deve-se entender que a imagem é uma "realidade metafísica", um "abstrato" à maneira do indivíduo para alguns sociólogos? Nesse caso, caberia compreender simplesmente que ela não tem realidade *funcional*, que ela nunca é independente. Mas então reencontraríamos o ponto de vista de Spaier. Deve-se crer em uma negação radical da imagem como estrutura da consciência? Ou será sempre a imagem-traço de Broca que Moutier quer rejeitar? Na verdade, Moutier não é um psicólogo: o que ele defende contra as tendências analíticas de um Broca ou de um Taine é a unidade do ser vivo. E, sem dúvida, há aí um progresso, mas é somente um progresso de método. Moutier, assim como Taine, não se preocupa com o testemunho direto da consciência. Ele *deduz* sua negação da imagem de princípios gerais e abstratos. Taine escolheu a imagem como princípio único de explicação porque ele tentava constituir uma psicologia científica a partir do modelo da física. Moutier, do mesmo modo, porque a biologia nascente introduziu a ideia de síntese orgânica e porque, mais avisado que Ribot, percebe que a ideia de síntese é incompatível com a de átomos psíquicos, rejeita a imagem como "entidade metafísica", sem tampouco examinar os dados concretos. Nos dois casos, o procedimento é o mesmo.[1]

É sua teoria do conhecimento e do juízo que conduz Alain a tomar, diante da imagem, uma atitude de negação radical:

"Que conservamos na memória cópias das coisas e que podemos de certo modo folheá-las é uma ideia simples, cômoda, mas um tanto pueril."[2]

A imagem não existe, não poderia existir: o que chamamos com esse nome é sempre uma falsa percepção.

"Em todo fato de imaginação, reencontraremos três espécies de causas: o mundo exterior, o estado do corpo e os movimentos."[3]

Mas toda falsa percepção é um falso juízo, pois perceber é julgar. Uma multidão, em Metz, acreditou ver um exército nas vidraças de uma casa. Ela *acreditou* vê-lo, mas não viu. Não havia ali exército, apenas linhas, cores, reflexos. Não havia tampouco "representação" de exército nos espíritos. Houve apenas *projeção* de imagem na vidraça, não houve fusão de uma lembrança com os dados da percepção. O medo e a precipitação levaram a julgar depressa demais, a interpretar mal.

"Quando imaginamos uma voz nas batidas de um relógio, sempre ouvimos apenas uma batida de relógio, e a

---

1. É também por razões de ordem metodológica e, no fundo, metafísica que os *behavioristas* negam a existência das imagens: "Eu gostaria de rejeitar completamente as imagens", diz Watson, "e mostrar que todo pensamento se reduz naturalmente a processos sensório-motores que têm sua sede na laringe". Cf. *Behavior*, 1 vol., e Image and affection in behavior, *Journal of Philosophy*, julho de 1913. (N.A.)

2. *Système des Beaux-Arts*, p. 22. (N.A.)

3. *Quatre-vingt-un chapitres sur l'esprit et les passions*, p. 41. (N.A.)

menor atenção nos certifica disso. Mas, nesse caso e certamente em todos, o juízo falso é auxiliado pela voz mesma, e a voz cria um objeto novo que substitui o outro. Aqui forjamos a coisa imaginada; forjada, ela é real por isso mesmo e percebida sem a menor dúvida."[1]

"(...) Uma emoção forte é sentida e percebida, inseparável dos movimentos corporais, e ao mesmo tempo (...) uma crença verossímil, mas antecipada e finalmente sem objeto, produziu-se; o conjunto tem o caráter de uma espera apaixonada, imaginária, em um certo sentido, mas muito real pelo tumulto do corpo... Portanto, desordem no corpo, erro no espírito, uma coisa alimentando a outra, eis aí o real da imaginação."

O que expusemos nas páginas precedentes permite, acreditamos, compreender a posição de Alain, racionalista cartesiano. Alain aceita, como Descartes, o postulado inicial da identidade fundamental das imagens e das percepções. No entanto, sendo um pensador mais profundo e mais escrupuloso que os psicólogos dos quais tentamos a crítica, ele imediatamente percebe as contradições que daí resultam. É absurdo pretender que existam imagens totalmente semelhantes às percepções e pensar em seguida que se poderá distingui-las. Todavia, ao aceitar a ideia de que os produtos da imaginação se distinguem dos objetos da percepção *como o erro se distingue da verdade*, não é possível resolver o problema invertendo a posição? Distinguir imagem e percepção pelos critérios externos do verdadeiro e do falso é afirmar necessariamente que *toda percepção falsa é imagem*. É assim, como vimos, que procede Spaier. Contudo, nesse caso, resta o famoso "conteúdo sensível" renascente, que não se poderia explicar. Por que não dizer, em vez disso, partindo dos mesmos princípios, que *toda imagem é percepção falsa*? Nesse caso, a "sensação renascente" não tem mais razão de ser: não há outros dados sensíveis senão

. *Système des Beaux-Arts*, p. 16. (N.A.)

os que são fornecidos atualmente por minha percepção. Porém, conforme julgo verdadeiro ou falso, constituo esses dados como objetos reais ou como fantasmas. Esses fantasmas são precisamente as imagens. Naturalmente, há vários tipos de imaginação. Uma, voltada para fora, consiste em juízos falsos sobre os objetos exteriores. A outra, voltada para dentro, "desvia-se das coisas e fecha os olhos, atenta principalmente aos movimentos da vida e às fracas impressões que deles resultam". O objeto real que o juízo falseará por uma excessiva precipitação, por paixão, é o dado cinestésico – ou, ainda, inúmeras percepções fugazes: imagens complementares, manchas entópticas. Nunca há, portanto, representações independentes com um conteúdo próprio e uma vida autônoma: uma imagem não é senão uma percepção falseada.

Por conseguinte, não temos mais necessidade de colocar a questão do "modo de encadeamento" das imagens. Não há associação de ideias nem seleção operada pelo pensamento, já que não há mais conteúdos sensíveis revivescentes. Julga-se a partir dos conteúdos sensíveis presentes e estes se sucedem como o exigem as leis do mundo.

"Nossos sonhos nos vêm do mundo, não dos deuses."

O pensamento é juízo espontâneo – verdadeiro ou falso – sobre os dados atuais do mundo exterior e do corpo. Reencontramos aqui a concepção que assinalávamos anteriormente e que limita o pensamento ao juízo. Porém, enquanto antes esse pensamento judicativo era embaraçado e sacudido pela dupla sucessão das imagens "sensíveis" e das percepções, Alain o liberta da ordem das imagens: ele está só diante do mundo e regula-se a partir deste.

"Não se pensa como se quer. O que faz acreditar que se pensa como se quer é que as ideias que vêm ao espírito de um homem são quase sempre as que convêm às circunstâncias. Se passeio pelo porto, o curso de minhas ideias não difere muito da sucessão das coisas que vejo, guindastes, montes de carvão, barcos, vagões, tonéis. Se às vezes entro num devaneio, isso não dura mais que a sombra de uma andorinha. Logo uma impressão viva me traz de volta às coisas presentes; e, enquanto cuido de minha conservação, em meio a essas massas que sobem, descem, giram, rangem e se entrechocam, minha atenção se vê assim disciplinada e fixo em meu espírito relações verdadeiras entre as coisas reais.

"Mas de onde vêm esses voos de devaneios que atravessam de quando em quando minhas percepções? Se eu procurasse bem, encontraria quase sempre um objeto real que vi apenas por um instante, um pássaro no ar, uma árvore ao longe ou o semblante de um homem, por um momento voltado para mim e despejando a meus pés, no tempo de um relâmpago, um rico carregamento de esperanças, de temores, de cóleras. Nossos pensamentos são copiados das coisas presentes e nossa capacidade de sonhar não vai tão longe quanto dizem.

"Lembro-me de que falava dessas coisas com um amigo. Caminhávamos ao acaso em meio a um bosque. Ele me perguntava se não éramos capazes de extrair tesouros de nós mesmos, como de um cofre, sem o auxílio de uma coisa presente. Naquele momento, veio-me ao espírito a palavra 'Byrrh', que certamente não tinha relação alguma com as árvores e os pássaros. Disse isso a ele. Discorremos a respeito. Aproximávamo-nos de uma espécie de casebre, em parte coberto pela folhagem; assim que voltei meu olhar para lá, vi um cartão pregado na janela... no qual se lia a palavra 'Birrh'."[1]

A teoria de Alain é expressamente concebida para evitar as contradições que enumeramos ao longo do presente capítulo. E cumpre reconhecer que ela atinge seu objetivo, mas o faz abandonando a noção de imagem. Não se poderia encontrar melhor conclusão para nossa exposição crítica: se assimilamos a imagem mental à percepção, a imagem destrói-se ela própria; e somos conduzidos, como Alain, a fazer uma teoria da imaginação sem imagens.

---

[1]. *Les Propos d'Alain*, N.R.F., t. I, p. 33. Podem ser lidas considerações análogas no livro do Dr. Pierre Vachet, *La pensée qui guérit*. (N.A.)

É possível contentarmo-nos com isso? Acreditamos que não: essa teoria, concebida *a priori* como as outras, não se ajusta aos fatos. Por não ter se referido ao testemunho da consciência, Alain, ao suprimir a *imagem*, concede à *imaginação* muito e pouco ao mesmo tempo.

Muito: para ele, a imaginação é necessariamente uma crença em um objeto falso. Passeio, à noite, por um caminho escuro. Sinto medo; meu medo precipita meu juízo e tomo um tronco de árvore por um homem: eis aí a imaginação de Alain. Uma vez que é juízo, ela envolve por natureza uma afirmação de existência, e a distinção introduzida por esse filósofo entre a imaginação voltada para dentro e a que se volta para fora não poderia modificar isso em nada. De modo que o objeto imaginário começa por ser afirmado como objeto real. A imaginação apresenta-se como uma série de pequenos sonhos instantâneos seguidos de bruscos despertares. E esse caráter *afirmativo* do pensamento imaginativo é talvez ainda mais nítido em Alain do que nos psicólogos que admitem um conteúdo sensível renascente na base das imagens. Nestes, o juízo – se existe como espontaneidade autônoma – pode colocar-se *diante* da imagem. Podemos exercer a *epoché* [suspensão do juízo] estoica, abster-nos. Nem por isso a imagem desaparecerá, já que é primeiramente conteúdo sensível. Ela permanecerá como um irreal e assumirá então seu caráter essencial, que é precisamente a não existência. Para Alain, ao contrário, o elemento constitutivo do ato imaginativo é o juízo. É preciso, pois, escolher: ou estamos *no* ato imaginativo e então *percebemos falso*; ou despertamos, estamos *fora* do ato de imaginação, corrigimos nosso juízo, e então não há mais ficção, há o real, o juízo verdadeiro. Sonho e despertar, digamos. Mas o devaneio, justamente, não é o sonho: o homem que se deixa levar por ele conta-se histórias *nas quais não acredita* e que, no entanto, são algo diferente de simples juízos abstratos. Existe aí um tipo de afirmação, um tipo de existência intermediária entre as asserções falsas do sonho e as certezas da vigília: e esse tipo de existência é evidentemente o das criações imaginárias. Fazer dessas criações atos judicativos é conceder demais a elas.[1]

Mas é também não lhes dar o bastante. É preciso, porém, voltar aos dados da consciência: existe um *fato* "imagem" e esse fato é uma estrutura irredutível da consciência. Quando evoco a imagem de meu amigo Pedro, não faço um juízo falso sobre o estado do meu corpo, mas meu amigo Pedro me *aparece*; certamente não me aparece como *objeto*, como atualmente presente, como "*aí*". Mas me aparece *em imagem*. É verdade que, para formular o juízo "tenho uma imagem de Pedro", preciso passar à reflexão, isto é, dirigir minha atenção não mais ao objeto da imagem, mas à própria imagem, como realidade psíquica. Contudo, essa passagem à reflexão não altera de modo algum a qualidade posicional da imagem. Não é um despertar, uma correção; não *descubro* de repente que formei uma imagem. Muito pelo contrário, no momento em que faço a afirmação "tenho uma imagem de Pedro", dou-me conta de que *sempre soube que era uma imagem*. Só que eu o sabia de uma outra forma: em uma palavra, esse saber coincidia com o ato pelo qual eu constituía Pedro em imagem.

A imagem é uma realidade psíquica certa; a imagem não poderia, de maneira alguma, reduzir-se a um conteúdo sensível, nem constituir-se sobre a base de um conteúdo sensível: tais são, pelo menos é o que esperamos, as constatações que se impõem ao final desta exposição crítica. Se quisermos ir mais longe, teremos de voltar à experiência e descrever a imagem em sua plena concreção, tal como apa-

---

[1]. Talvez se objete que existem juízos de probabilidade ou de possibilidade. Mas isso não é uma solução. Dizer "o que vejo ali é talvez um homem" e imaginar um corpo de homem durante um devaneio é efetuar duas operações evidentemente muito diferentes. A tese de Alain implica, aliás, uma concepção do ato perceptivo que não é aceitável, como já mostramos. (N.A.)

rece à reflexão. Mas como evitar os erros que assinalamos? Nem o método experimental de Würzburg, nem a pura e simples introspecção poderiam nos satisfazer: vimos que eles não podem afastar os preconceitos metafísicos. Não existe aí uma impossibilidade radical?

Mas talvez o erro não se introduza no próprio ato reflexivo. Talvez ele apareça no nível da indução, quando, a partir dos fatos, se estabelecem leis. Se for assim, será que se poderia constituir uma psicologia que, sem deixar de ser uma psicologia *de experiência*, não fosse uma ciência indutiva? Existe um tipo de experiência privilegiada que nos ponha imediatamente em contato com a lei? Um grande filósofo contemporâneo acreditou que sim, e é a ele que vamos pedir agora para guiar nossos primeiros passos nessa difícil ciência.

IV
HUSSERL

O grande acontecimento da filosofia de antes da guerra é certamente a publicação do primeiro tomo da *Revista anual de filosofia e de pesquisas fenomenológicas*[1] que continha a principal obra de Husserl: *Esboço de uma fenomenologia pura e de uma filosofia fenomenológica*.[2] Tanto quanto a filosofia, esse livro estava destinado a revolucionar a psicologia. Sem dúvida, a fenomenologia, ciência da consciência pura transcendental, é uma disciplina radicalmente diferente das ciências psicológicas que estudam a consciência do ser humano, indissoluvelmente ligada a um corpo e diante do mundo. Para Husserl, a psicologia continua sendo, como a física ou a astronomia, uma "ciência da atitude natural"[3], isto é, uma ciência que implica um realismo espontâneo. Ao contrário, a fenomenologia começa quando "colocamos fora de jogo[4] a posição geral de existência que pertence à essência da atitude natural".

Mas as estruturas essenciais da consciência transcendental não desaparecem quando essa consciência é aprisionada no mundo. Assim, as principais aquisições da fenomenologia permanecerão válidas para o psicólogo, *mutatis mutandis*. Além disso, o método da fenomenologia pode servir de modelo aos psicólogos. Certamente, o procedi-

---

[1]. *Jahrbuchs für Philosophie und phänomenologische Forschung*, Bd. I. (N.A.)
[2]. *Ideen zu einer reinen Phänomenologie und phänomenologischen Philosophie*. (N.A.)
[3]. *Idem*, p. 53. (N.A.)
[4]. *Idem*, p. 56. (N.A.)

mento essencial desse método continua sendo a "redução", a *epoché*, ou seja, a colocação entre parênteses da atitude natural; e está bem entendido que o psicólogo não efetua essa *epoché* e permanece no terreno da atitude natural. Contudo, feita a redução, o fenomenólogo tem meios de pesquisa que poderão servir ao psicólogo: a fenomenologia é uma descrição das estruturas da consciência transcendental fundada na intuição das essências dessas estruturas. Naturalmente, essa descrição opera-se no plano da reflexão, mas não devemos confundir reflexão com introspecção. A introspecção é um modo especial de reflexão que busca apreender e fixar os fatos empíricos. Para converter seus resultados em leis científicas, é preciso *a seguir* uma passagem indutiva ao geral. Ora, o que o fenomenólogo utiliza é um outro tipo de reflexão: esta busca apreender as essências. Ou seja, ela começa colocando-se de saída no terreno do universal. Com certeza, ela opera a partir de exemplos. Mas é de pouca importância que o fato individual que serve de suporte à essência seja real ou imaginário. O dado "exemplar" seria uma pura ficção; o fato que pôde ser imaginado mostra que ele precisou realizar em si a essência buscada, pois a essência é a condição de sua possibilidade:

"É lícito então, se apreciamos os paradoxos e com a condição de entender como convém a significação ambígua desta frase, dizer em toda a verdade que a Ficção é o elemento vital da Fenomenologia, assim como de todas as Ciências eidéticas[1], e a fonte de onde provém o conhecimento das verdades eternas."[2] O que vale para o fenomenólogo vale também para o psicólogo. Não queremos negar, por certo, o papel essencial que a experimentação e a indução devem desempenhar, sob todas as suas formas, na constituição da psicologia. Porém, antes de ex-

---

1. Eidéticas no sentido de "Ciências de essência". As matemáticas são ciência eidéticas. (N.A.)

2. *Ideen*, p. 132. (N.A.)

perimentar, não convém saber tão exatamente quanto possível *sobre o que* se vai experimentar? Nesse ponto, a experiência jamais fornecerá senão informações obscuras e contraditórias.

"A grande época (da Física) começa nos tempos modernos, quando, de repente e em grande escala, se passa a utilizar para o método físico a Geometria que, desde a Antiguidade (e principalmente entre os platônicos), fora muito desenvolvida como *eidética pura*. Percebe-se então que a essência da coisa material é ser *res extensa* e que, *por conseguinte, a geometria é a disciplina ontológica que se refere a um momento essencial da coisa*: a estrutura espacial. Mas percebe-se também que a essência universal da coisa compreende muitas outras estruturas. É o que mostra claramente o fato de o desenvolvimento científico tomar em seguida uma nova direção: quer-se constituir uma série de disciplinas novas que serão coordenadas à geometria e que são chamadas a cumprir a mesma função: *racionalizar os dados empíricos*."[1]

O que Husserl escreve sobre a Física pode ser repetido para a Psicologia. Esta fará o maior progresso quando, renunciando a envolver-se em experiências ambíguas e contraditórias, começar a passar a limpo as estruturas essenciais que são o objeto de suas pesquisas. Acabamos de ver, por exemplo, que a teoria clássica da imagem contém toda uma metafísica implícita e que se passou à experimentação sem desembaraçar-se dessa metafísica, ocasionando nas experiências uma série de preconceitos que remontam às vezes a Aristóteles. Mas será que não é possível perguntar-se, primeiramente e *antes* de qualquer recurso às experiências (quer se trate de introspecção experimental ou de qualquer outro procedimento): *o que é uma imagem?* Possui esse elemento tão importante da vida psíquica uma estrutura essencial que seja acessível à intuição e que se possa fixar por

---

1. *Ideen*, p. 20. (N.A.)

palavras e conceitos? Há afirmações inconciliáveis com a estrutura essencial da imagem? etc. etc. Em suma, a Psicologia é um empirismo que busca ainda seus princípios eidéticos. Husserl, muitas vezes acusado, sem razão, de ter uma hostilidade de princípio contra essa disciplina, propõe-se, ao contrário, a prestar a ela um serviço: ele não nega que haja uma psicologia de experiência, mas pensa que, para atender o mais urgente, o psicólogo deve constituir antes de tudo uma psicologia eidética. Essa psicologia, naturalmente, não tomará seus métodos das ciências matemáticas que são *dedutivas*, mas das ciências fenomenológicas que são *descritivas*. Será uma "psicologia fenomenológica": ela efetuará, no plano intramundano, pesquisas e fixações de essências como as da fenomenologia no plano transcendental. E, com certeza, deve-se ainda falar aqui de experiência, pois toda visão intuitiva de essência continua sendo experiência. Mas é uma experiência que precede toda experimentação.

Um trabalho sobre a imagem deve, portanto, apresentar-se como uma tentativa de realizar, em um ponto particular, a psicologia fenomenológica. Deve-se buscar constituir uma eidética da imagem, isto é, fixar e descrever a essência dessa estrutura psicológica tal como aparece à intuição reflexiva. Depois, quando se tiver determinado o conjunto das condições que um estado psíquico deve necessariamente realizar para ser imagem, será então preciso passar do certo ao provável e perguntar à experiência o que ela nos pode ensinar sobre as imagens tais como se apresentam em uma consciência humana contemporânea.

No que se refere ao problema da imagem, Husserl não se contenta em nos fornecer um método: há nas *Ideen* as bases de uma teoria das imagens inteiramente nova. Na verdade, Husserl só aborda a questão de passagem e, além disso, como veremos, não estamos de acordo com ele em todos os pontos. Por outro lado, suas observações requerem ser aprofundadas e completadas, mas as indicações que ele dá são da maior importância.

O caráter fragmentário das observações de Husserl torna sua exposição particularmente difícil. Não convém esperar, nos parágrafos que seguem, encontrar uma construção sistemática, mas somente um conjunto de sugestões proveitosas.

A concepção de *intencionalidade* é chamada a renovar a noção de imagem. Sabemos que, para Husserl, todo estado de consciência, ou melhor – como dizem os alemães e como diremos com eles –, toda *consciência* é consciência *de* alguma coisa. "Todas as *Erlebnisse* que têm em comum essa propriedade de essência são chamadas também de '*Erlebnisse* intencionais': na medida em que elas são consciência de alguma coisa, dizemos que elas se 'relacionam intencionalmente' a essa coisa."[1]

A intencionalidade, tal é a estrutura essencial de toda consciência. Segue-se, naturalmente, uma distinção radical entre a consciência e *aquilo de que se tem consciência*. O objeto da consciência, seja ele qual for (exceto no caso da consciência reflexiva), está por princípio fora da consciência: ele é transcendente. Essa distinção, à qual Husserl não se cansa de voltar, tem por objetivo combater os erros de um certo imanentismo que quer constituir o mundo com *conteúdos* de consciência (por exemplo, o idealismo de Berkeley). Claro que há conteúdos de consciência, mas esses conteúdos não são o objeto da consciência: através deles a intencionalidade visa o objeto que é o correlato da consciência, mas não é *da consciência*. O psicologismo, partindo da fórmula ambígua "o mundo é nossa representação", faz desaparecer a árvore que percebo numa miríade de sensações, de impressões de cor, táteis, térmicas etc., que são "representações". De modo que, finalmente, a árvore aparece como uma soma de conteúdos subjetivos e é ela própria

---

1. *Ideen*, p. 64. *Erlebnis*, termo intraduzível, vem do verbo *erleben*. "Etwas erleben" significa "viver alguma coisa". *Erlebnis* teria mais ou menos o sentido de "vivido", no sentido em que o empregam os bergsonianos. (N.A.)

um fenômeno subjetivo. Ao contrário, Husserl começa por colocar a árvore *fora de nós*.

"Como regra absolutamente universal, uma *coisa* não pode ser dada em nenhuma percepção possível, isto é, em nenhuma consciência possível em geral como um imanente real."[1]

Com certeza, ele não nega a existência de dados visuais ou táteis que fazem parte da consciência como elementos subjetivos imanentes. Mas eles não são o *objeto*: a consciência não se dirige a esses dados; através deles, ela visa a coisa exterior. Esta impressão visual que presentemente faz parte de minha consciência não é *o vermelho*. O vermelho é uma qualidade do objeto, uma qualidade transcendente. A impressão subjetiva que, sem dúvida, é "análoga" ao vermelho da coisa é apenas um "quase vermelho", ou seja, é a matéria subjetiva, a "*hylé*" sobre a qual se aplica a intenção que se transcende e busca atingir o vermelho fora de si.

"Convém sempre ter presente a ideia de que os dados impressivos que têm por função 'traçar o perfil' da cor, da superfície, da forma[2] (isto é, que têm por função 'representar'), são por princípio radicalmente distintos da cor, da superfície ou da forma, em suma, de todas as qualidades da coisa."[3]

Percebemos as consequências imediatas para a imagem: a imagem também é imagem de alguma coisa. Portanto, lidamos com uma relação intencional de uma certa consciência a um certo objeto. Em suma, a imagem deixa de ser um *conteúdo* psíquico; ela não está *na* consciência a título de elemento constituinte; porém, tanto na consciência de uma coisa *em imagem* como numa percepção, Husserl distinguirá uma intenção imaginante e uma "*hylé*" que a intenção vem "animar".[4] A *hylé*, naturalmente, con-

---

1. *Ideen*, p. 76. (N.A.)
2. *Farbenabschattung, Glätteabschattung*, etc.: intraduzível. (N.A.)
3. *Ideen*, p. 75. (N.A.)
4. "Beseelen", cf. *Ideen, passim*. (N.A.)

tinua sendo subjetiva, mas, ao mesmo tempo, o objeto da imagem, destacado do puro "conteúdo", instala-se fora da consciência como algo radicalmente diferente.

"(Será que não poderiam nos objetar que) um centauro que toca flauta, ficção que formamos livremente, é, justamente por causa disso, uma livre reunião de representações em nós? Responderemos: Certamente... a livre ficção efetua-se de maneira espontânea, e o que engendramos espontaneamente é, sem dúvida, um produto do espírito. Contudo, no que se refere ao centauro que toca flauta, trata-se de uma representação na medida em que chamamos representação o que é representado e não no sentido em que representação seria um nome para um estado psíquico. O centauro mesmo não é, naturalmente, nada de psíquico, não existe nem na alma, nem na consciência, nem em parte alguma; simplesmente não existe, é uma invenção completa. Para sermos mais exatos: o estado de consciência de invenção é invenção *desse* centauro. Nessa medida, com certeza, pode-se dizer que 'centauro-visado', 'centauro-inventado' pertencem à própria '*erlebnis*'. *Mas que não se confunda essa 'erlebnis' de invenção com o que, por meio dela, foi inventado como tal.*"[1] Este texto é fundamental: a não existência do centauro ou da quimera não nos dá o direito de reduzi-los a simples formações psíquicas. Sem dúvida, existe aí, por ocasião desses inexistentes, formações psíquicas reais. E compreende-se o erro do psicologismo: era grande a tentação de deixar esses seres míticos em seu nada e levar em conta apenas conteúdos psíquicos. Mas Husserl precisamente restitui ao centauro a transcendência no seio de seu nada. Que ele seja nada tanto quanto se quiser: mas por isso mesmo ele não está na consciência.

Sobre a estrutura da imagem, Husserl não diz mais que isso, mas podemos avaliar facilmente o serviço que ele presta ao psicólogo. Ao tornar-se uma estrutura intencio-

---

1. *Ideen*, p. 43. Nós sublinhamos. (N.A.)

nal, a imagem passa do estado de conteúdo inerte de consciência ao de consciência una e sintética em relação a um objeto transcendente. A imagem de meu amigo Pedro não é uma vaga fosforescência, um rastro deixado em minha consciência pela percepção de Pedro: é uma forma de consciência organizada que se relaciona, à sua maneira, com meu amigo Pedro, é uma das maneiras possíveis de visar o ser real de Pedro. Assim, no ato de imaginação, a consciência relaciona-se diretamente com Pedro e não por intermédio de um simulacro, que estaria *nela*. De uma só vez desaparecerão, com a metafísica imanentista da imagem, todas as dificuldades que evocávamos no capítulo precedente a propósito da relação desse simulacro com seu objeto real e do pensamento puro com esse simulacro. Esse "Pedro em formato reduzido", esse homúnculo arrastado pela consciência nunca foi *da consciência*. Era um objeto do mundo material perdido no meio dos seres psíquicos. Ao lançá-lo fora da consciência, ao afirmar que há somente um único e mesmo Pedro, objeto das percepções e das imagens, Husserl libertou o mundo psíquico de um grande peso e suprimiu quase todas as dificuldades que obscureciam o problema clássico das relações da imagem com o pensamento.

Mas Husserl não limita a isso suas sugestões: se a imagem é apenas um nome para uma certa maneira que a consciência tem de visar seu objeto, nada impede de aproximar as imagens materiais (quadros, desenhos, fotos) das imagens ditas psíquicas. O psicologismo, curiosamente, acabou por separar de forma radical umas das outras, embora no fundo reduzisse as imagens psíquicas a serem somente imagens materiais *em nós*. Em última instância, segundo essa doutrina, só poderíamos interpretar um quadro ou uma fotografia reportando-nos à imagem mental que ele evocava por associação: na prática, era uma remissão ao infinito, pois, como a imagem mental era ela própria uma fotografia, seria preciso uma outra imagem para compreendê-la e assim sucessivamente. Ao contrário, se a imagem se torna uma certa maneira de animar intencionalmente um conteúdo hilético, podemos perfeitamente assimilar a captura de um quadro *como imagem* à apreensão intencional de um conteúdo "psíquico". Trata-se apenas de duas espécies diferentes de consciências "imaginantes". O esboço dessa assimilação encontra-se em uma passagem das *Ideen* que merece tornar-se clássica e na qual Husserl analisa a apreensão intencional de uma gravura de Dürer.

"Consideremos a água-forte de Dürer, *O Cavaleiro, a Morte e o Diabo*. Distinguiremos em primeiro lugar, aqui, a percepção normal, cujo correlato é a *coisa* 'gravura', essa folha do álbum.

"Em segundo lugar, encontramos a consciência perceptiva, na qual, através dessa linhas pretas, pequenas figuras incolores – 'Cavaleiro a cavalo', 'Morte', 'Diabo' – nos aparecem. Na contemplação estética, não somos dirigidos a elas como objeto: somos dirigidos às realidades que são representadas 'em imagem', mais exatamente às realidades 'figuradas' (*abgebildet*), o cavaleiro em carne e osso etc."[1]

Esse texto pode estar na origem de uma distinção *intrínseca* da imagem e da percepção.[2] Certamente, a *hylé* que apreendemos para constituir o aparecimento estético do cavaleiro, da morte e do diabo é, sem dúvida nenhuma, o mesmo que na percepção pura e simples da folha do álbum. A diferença está na estrutura intencional. O que importa aqui para Husserl é que "tese" ou posição de existência recebeu uma *modificação de neutralidade*.[3] Não precisamos nos ocupar aqui desse ponto. É suficiente, para nós, que a matéria por si só não pode distinguir a imagem da percep-

---

1. *Ideen*, p. 226. (N.A.)

2. Distinção que Husserl, aliás, não levou mais adiante em suas obras publicadas. (N.A.)

3. Ele quer mostrar principalmente que, na contemplação estética, o objeto não é posto como existente. Suas descrições referem-se antes à *Crítica do juízo*. (N.A.)

ção. Tudo depende do modo de animação dessa matéria, isto é, de uma forma que nasce nas estruturas mais íntimas da consciência.

Tais são as breves alusões que Husserl faz a uma teoria que ele certamente esclareceu em seus cursos e em outros trabalhos, mas que, nas *Ideen*, permanece ainda muito fragmentária. E o serviço prestado à psicologia é inapreciável, mas as obscuridades estão longe de ser todas dissipadas. Por certo, podemos compreender agora que a imagem e a percepção são duas *Erlebnisse* intencionais que diferem antes de tudo por suas intenções. Mas de que natureza é a intenção da imagem? Em que se diferencia da intenção da percepção? É aqui, evidentemente, que uma descrição de essência é necessária. Na falta de outra indicação de Husserl, somos deixados a nós mesmos parar operar essa descrição.

Além disso, um problema essencial continua sem solução: com base em Husserl, pudemos esboçar a descrição geral de uma grande classe intencional que compreende as imagens ditas "mentais" e as imagens que, na falta de um termo mais apropriado, chamaremos de externas. Sabemos que a consciência de imagem externa e a consciência perceptiva correspondente, embora diferenciadas radicalmente quanto à intenção, têm uma matéria impressiva idêntica. As linhas pretas servem ao mesmo tempo para a constituição da imagem "Cavaleiro" ou para a percepção "traços pretos sobre uma folha branca". Mas será que isso vale para a imagem mental? Ela tem a mesma *hylé* que a imagem externa, isto é, que a percepção? Algumas passagens das *Logische untersuchungen*[1] parecem deixar supor que sim. Com efeito, Husserl explica que a imagem tem por

---

1. Na edição revisada do pós-guerra, que leva em conta os progressos realizados por Husserl depois da primeira edição desse livro. (N.A.)

função "preencher" os saberes vazios, exatamente como fazem as *coisas* da percepção. Por exemplo, se penso numa cotovia, posso pensar nela no vazio, ou seja, produzir apenas uma intenção significante fixada na palavra "cotovia". No entanto, para preencher essa consciência vazia e transformá-la em consciência intuitiva, é indiferente que eu forme uma imagem de cotovia ou que olhe para uma cotovia em carne e osso. Esse preenchimento da significação pela imagem parece indicar que a imagem possui uma matéria impressiva concreta e que ela própria é um *cheio*, como a percepção.[1] Além disso, em suas *Lições sobre a consciência interna do tempo*, Husserl distingue cuidadosamente da *retenção*, que é uma maneira não posicional de conservar o passado como passado para a consciência, a *rememoração*, que consiste em fazer reaparecer as *coisas* do passado com suas qualidades. Trata-se, nesse segundo caso, de uma *presentificação* (*Vergegenwärtigung*) e esta implica a reiteração, embora numa consciência modificada, de todos os atos perceptivos originais. Por exemplo, se percebi um teatro iluminado, posso indiferentemente reproduzir em minha lembrança o teatro iluminado ou a percepção do teatro iluminado ("Havia, naquela noite, festa no teatro..." "Ao passar, naquela noite, *vi* as janelas iluminadas..."). Nesse último caso, posso *refletir na lembrança*: é que, para Husserl, a reprodução do teatro iluminado implica a reprodução da percepção do teatro iluminado. Vê-se que a imagem-lembrança não é outra coisa, aqui, senão uma consciência perceptiva modificada, isto é, afetada de um coeficiente de passado. Pareceria então que Husserl, embora lançando as bases de uma renovação radical da questão, permaneceu prisioneiro da antiga concepção, ao menos no que se refere

---

[1]. Em todo caso, essa tese, que procuraremos refutar mais tarde, tem o grande mérito de fazer da imagem algo diferente de um *signo*, ao contrário da psicologia inglesa e francesa contemporânea. (N.A.)

à *hylé* da imagem que continuaria sendo, para ele, a impressão sensível renascente.[1]

Mas, se for assim, vamos encontrar dificuldades análogas às que nos detinham no capítulo precedente.

Em primeiro lugar, no plano fenomenológico, ou seja, uma vez efetuada a redução, parece-nos muito difícil distinguir por sua intencionalidade imagem e percepção, se sua matéria é a mesma. O fenomenólogo, tendo posto o mundo "entre parênteses", nem por isso o perdeu. A distinção consciência-mundo perdeu seu sentido. Agora o corte se faz de outro modo: distingue-se, de um lado, o conjunto dos elementos *reais* da síntese consciente (a *hylé* e os diferentes atos intencionais que a animam) e, de outro lado, o "sentido" que habita essa consciência. A realidade psíquica concreta será denominada *noese*, e o sentido que vem habitá-la, *noema*. Por exemplo, "árvore-em-flor-percebida" é o noema da percepção que tenho neste momento.[2] Mas esse "sentido noemático" que pertence a cada consciência real não é, ele próprio, *nada de real*.

"Cada *Erlebnis* é feita de tal forma que existe em princípio uma possibilidade de dirigir o olhar para ela e para seus componentes reais, ou então, em uma direção oposta, para o noema, por exemplo, a árvore percebida como tal. O que o olhar encontra nessa última direção é, na verdade, um objeto no sentido lógico, mas um objeto que não poderia existir por si. Seu *esse* consiste essencialmente em seu *percipi*. Mas essa fórmula não deve ser tomada no sentido berkeleyano, pois o *percipi* não contém aqui o *esse* como elemento real."[3]

---

1. Reconhecemos de bom grado que se trata aqui de uma interpretação que os textos nos pareceram autorizar, mas que não obrigam a admitir. O fato é que eles são ambíguos, e a questão exige, ao contrário, que se tome claramente uma posição. (N.A.)

2. Expomos aqui muito grosseiramente uma teoria bastante matizada, mas cujos detalhes não nos interessam diretamente. (N.A.)

3. *Ideen*, p. 206. (N.A.)

Assim, o noema é um nada que tem apenas uma existência ideal, um tipo de existência que se aproxima ao do *lektón*[1] estoico. Ele é somente o correlato necessário da noese: "O *eidos* [essência] do noema remete ao *eidos* da consciência noética; eles se implicam um ao outro eideticamente".[2]

Mas, se for assim, como distinguir, uma vez feita a redução, o Centauro que imagino da Árvore-em-flor que percebo? O "Centauro imaginado" é também o noema de uma consciência noética plena. Também ele é *nada*, também ele não existe em parte alguma, como vimos há pouco. Só que, antes da redução, encontrávamos nesse nada um meio para distinguir a ficção da percepção: a árvore-em-flor existia em alguma parte fora de nós, podíamos tocá-la, abraçá-la, desviar-nos dela e, depois, voltando atrás, reencontrá-la no mesmo lugar. O centauro, ao contrário, não estava em parte alguma, nem em mim, nem fora de mim. Agora, a *coisa* árvore foi posta entre parênteses, não a conhecemos mais senão como o noema de nossa percepção atual; e, como tal, esse noema é um irreal, do mesmo modo que o centauro.

"A árvore pura e simples, a árvore na natureza, não é senão essa 'árvore-percebida-como-tal', que pertence como 'o-que-é-percebido' ao sentido da percepção, de uma forma inalienável. A árvore pura e simples pode queimar, dissolver-se em seus elementos químicos etc. Mas o sentido – o sentido *dessa* percepção, um elemento que pertence necessariamente a seu sentido – não pode queimar, não tem elementos químicos, não tem forças, não tem propriedades reais."[3]

Então, onde está a diferença? Como se explica que haja imagens e percepções? Como se explica que, quando fazemos cair as barreiras da redução fenomenológica, reencontramos um mundo real e um mundo imaginário?

---

1. O exprimível, o que pode ser expresso pela linguagem. (N.T.)
2. *Ideen*, p. 206. (N.A.)
3. *Ideen*, p. 184. (N.A.)

Tudo se deve, responderão, à intencionalidade, isto é, ao ato noético. Não disse você mesmo que Husserl lançava as bases de uma distinção intrínseca entre imagem e percepção pelas intenções e não pelas matérias? Aliás, o próprio Husserl distingue, nas *Ideen*, noemas de imagens, de lembranças ou de coisas percebidas.

"Pode tratar-se sempre de uma árvore-em-flor, e essa árvore pode sempre aparecer de tal forma que, para descrever fielmente *o que aparece* como tal, devamos usar rigorosamente as mesmas expressões. Mas mesmo assim os correlatos noemáticos são diferentes por essência quando se trata da percepção, da imaginação, de presentificações figuradas, de lembrança etc. Ora o aparecimento é caracterizado como 'realidade em carne e osso', ora como ficção, ora ainda como presentificação na lembrança etc."[1]

Mas como se deve entender isso? Posso animar uma matéria impressiva qualquer como percepção ou como imagem a meu critério? O que significará "imagem" ou "coisa percebida" nesse caso? Será suficiente uma recusa de pôr em relação o noema "árvore-em-flor" com os precedentes noemas para constituir uma imagem? Sem dúvida, é assim que procedemos diante da gravura de Dürer, que podemos, a nosso critério, perceber como objeto-coisa ou como objeto-imagem. Mas é que aí se trata, justamente, de duas interpretações de uma mesma matéria impressiva. Ora, quando se trata de uma imagem mental, cada um pode verificar que é impossível animar sua *hylé* de modo a fazer dela a matéria de uma percepção. Essa ambivalência hilética só é possível em um pequeno número de casos privilegiados (quadros, fotos, imitações etc.). Mesmo que ela fosse admissível, ainda seria preciso explicar por que minha consciência intenciona uma matéria como imagem e não como percepção. Esse problema diz respeito ao que Husserl chama *motivações*. E de compreendermos que a animação

---
1. *Id.*, p. 188. (N.A.)

da matéria impressiva da gravura para fazer dela uma imagem depende de motivos extrínsecos (porque é impossível que aquele homem esteja ali etc.). Em suma, voltamos aos critérios extrínsecos de Leibniz e de Spaier. Mas se o mesmo acontece com a imagem mental, eis-nos de volta, por um desvio, às dificuldades do capítulo precedente. O problema insolúvel era então: como encontrar as características da imagem verdadeira? O problema presente é este: como encontrar motivos de informar uma matéria como imagem e não como percepção? No primeiro caso, respondíamos: se os conteúdos psíquicos são equivalentes, não há meio algum de determinar a imagem verdadeira. No segundo, devemos responder: se as matérias são da mesma natureza, não pode haver motivo válido algum.

Na verdade, há em Husserl o esboço de uma resposta. A ficção "Centauro tocando flauta" é aproximada, nas *Ideen*, da operação de *adição*. Em ambos os casos, trata-se de uma consciência "necessariamente espontânea", ao passo que, para a consciência de intuição sensível, para a consciência empírica, a espontaneidade está fora de questão. Mais tarde, nas *Meditações cartesianas*, ele distingue as sínteses passivas que se fazem por associação, e cuja forma é o escoamento temporal, e as sínteses ativas (juízo, ficção etc.). Assim, toda ficção seria uma síntese ativa, um produto de nossa espontaneidade; ao contrário, toda percepção é uma síntese puramente passiva. A diferença entre imagem e percepção viria, portanto, da estrutura profunda das sínteses intencionais.

Com essa explicação concordamos inteiramente, mas ela ainda permanece muito incompleta. Em primeiro lugar, o fato de a imagem ser uma síntese ativa provoca uma modificação da *hylé* ou apenas uma modificação do tipo de reunião? Pode-se perfeitamente conceber uma síntese ativa que se operasse por composição de impressões sensíveis renascentes. É assim que Spinoza e Descartes explicam a ficção. O Centauro seria constituído pela síntese espontânea de uma percepção renascente de cavalo e de uma percepção renascente de homem. Mas pode-se também pensar[1] que a matéria impressiva da percepção é incompatível com o modo intencional da imagem-ficção. Husserl não se explica sobre esse ponto. Em todo caso, o resultado dessa classificação é separar radicalmente a imagem-lembrança da imagem-ficção. Vimos antes que a lembrança do teatro iluminado era uma presentificação da coisa "teatro iluminado" com reprodução de operações perceptivas. Trata-se claramente, portanto, de uma síntese passiva. Mas existem tantas formas intermediárias entre a imagem-lembrança e a imagem-ficção que não poderíamos admitir essa separação radical. Ou ambas são sínteses passivas (esta é, em suma, a tese clássica), ou ambas são sínteses ativas. No primeiro caso, voltamos, por um desvio, à teoria clássica. No segundo, é preciso abandonar a teoria da "presentificação", ao menos sob a forma que Husserl lhe dá em suas *Lições sobre a consciência interna do tempo*. De todo modo, somos reconduzidos à nossa primeira constatação: a distinção entre imagem mental e percepção não poderia vir da simples intencionalidade; é necessário, mas não suficiente, que as intenções se diferenciem, é preciso assim que as matérias sejam dessemelhantes. Talvez seja até mesmo necessário que a matéria da imagem seja ela própria espontaneidade, porém uma espontaneidade de um tipo inferior.

Seja como for, Husserl abre o caminho, e nenhum estudo da imagem poderia negligenciar as observações que ele nos oferece. Sabemos agora que temos de partir novamente do zero, negligenciar toda a literatura pré-fenomenológica e tentar antes de tudo obter uma visão intuitiva da estrutura intencional da imagem. Será preciso também colocar a questão nova e delicada das relações da imagem mental com a imagem material (quadro, fotos etc.). Será conveniente ainda comparar a consciência de imagem com

---

1. É o que tentamos mostrar nos capítulos precedentes. (N.A.)

a consciência de signo a fim de livrar definitivamente a psicologia do erro inadmissível que faz da imagem um signo e do signo uma imagem. Por fim, e sobretudo, será preciso estudar a *hylé* própria da imagem mental. É possível que, no caminho, devamos abandonar o domínio da psicologia eidética e recorrer à experiência e aos procedimentos indutivos. Contudo, é pela descrição eidética que convém começar: o caminho está livre para uma psicologia fenomenológica da imagem.

Conclusão

Todo fato psíquico é síntese, todo fato psíquico é forma e possui uma estrutura. Esta é a afirmação sobre a qual todos os psicólogos contemporâneos puseram-se de acordo. E, com certeza, essa afirmação está em relação de plena conveniência com os dados da reflexão. Infelizmente, ela tira sua origem de ideias *a priori*: ela *convém* aos dados do senso íntimo, mas não *provém* deles. Segue-se que o esforço dos psicólogos é semelhante ao dos matemáticos que querem *reencontrar* o contínuo por meio de elementos descontínuos: desejou-se *reencontrar* a síntese psíquica partindo-se de elementos fornecidos pela análise *a priori* de alguns conceitos metafísico-lógicos. A imagem é um desses elementos:[1] e ela representa, em nossa opinião, o fracasso mais completo da psicologia sintética. Tentou-se flexibilizá-la, desbastá-la, torná-la tão vaporosa, tão transparente quanto possível, para que *não impedisse* as sínteses de se produzirem. E, quando alguns autores perceberam que mesmo assim disfarçada ela devia romper necessariamente a continuidade da corrente psíquica, eles a abandonaram completamente, como uma pura entidade escolástica. Mas não viram que suas críticas se dirigiam contra uma certa concepção da imagem, não contra a imagem mesma. Todo o mal surgiu do fato de se *chegar à imagem com a ideia de síntese*, em vez de se tirar uma certa concepção da síntese

---

1. Cf., por exemplo, a conclusão de Burloud em *La pensée d'après Watt, Messer et Bühler*: "(É preciso) distinguir num pensamento duas coisas: sua *estrutura* e seu *conteúdo*. Ele tem por conteúdo elementos sensíveis ou elementos relacionais, ou ambos ao mesmo tempo. Quanto à sua estrutura, não é outra coisa senão a maneira pela qual tomamos consciência desse conteúdo", p. 174. (N.A.)

a partir de uma reflexão sobre a imagem. Eles colocaram o seguinte problema: como pode a existência da imagem conciliar-se com as necessidades da síntese – sem perceberem que na própria maneira de formular o problema estava já contida a concepção atomística da imagem. Na realidade, é preciso responder claramente: a imagem, se continua sendo um conteúdo psíquico inerte, não poderia de forma alguma conciliar-se com as necessidades da síntese. Ela só pode entrar na corrente da consciência se ela mesma é síntese e não elemento. Não há, não poderia haver imagens *na* consciência. Mas a imagem *é um certo tipo de consciência*. A imagem é um ato e não uma coisa. A imagem é consciência *de* alguma coisa.

Nossas pesquisas críticas não poderiam nos levar mais longe. Seria preciso agora abordar a descrição fenomenológica da estrutura "imagem". É o que tentaremos em um outro livro.

ÍNDICE REMISSIVO

Ach, N. 64
Ahrens, H. 25
Alain 100, 112, 113, 114, 115, 116, 117
Aristóteles 32, 121

Baillarger, J.-G. 24
Baldwin, J.M. 61
Bastian, C. 29
Batbie, A.P. 31
Bergson, H. 40, 41, 42, 43, 44, 45, 46, 47, 48, 49, 50, 51, 52, 53, 54, 55, 56, 57, 58, 59, 61, 63, 72
Berkeley, G. 42, 123
Betz, W. 72
Binet, A. 24, 25, 29, 64, 68, 69, 70, 71, 72, 110
Bouyer, C. 41
Broca, P. 29, 110, 111
Brochard, V. 33, 34, 36, 64, 69, 73
Bühler, K. 64, 67, 68, 69, 72, 136
Burloud, A. 136

Charcot, J.-M. 29
Chevalier, J. 41
Claparède, E. 100
Comte, A. 73

Darwin, C. 85
Déjerine, J. 29
Descartes, R. 11, 13, 14, 15, 18, 19, 21, 24, 32, 42, 44, 67, 74, 78, 87, 99, 100, 104, 113, 133
Dumas, G. 75
Dürer, A. 127, 132

Epicuro 10
Exner, S. 29

Ferri, L. 31, 33, 64, 73

Galton, F. 29
Garnier, A. 24
Giard, A. 25

Hamilton, W. 33
Hoernlé, R.F. 76, 109
Hume, D. 11, 17, 18, 21, 24, 28, 35, 41, 42, 46, 51, 60, 81, 99, 102, 104, 105, 106
Husserl, E. 5, 42, 48, 66, 67, 68, 105, 119, 121, 122, 123, 124, 125, 126, 127, 128, 129, 132, 133, 134

James, W. 75, 100

Kant, E. 28, 35, 61, 62, 63
Küssmaul, A. 29

Lachelier, J. 30
Lagache, D. 91
Laporte, J. 104
Leibniz, G.W. 11, 15, 16, 17, 22, 24, 32, 33, 34, 65, 66, 72, 133
Lhermitte, J. 41
Locke, J. 20, 22, 34, 72
Luís Felipe 31

Maine de Biran 26
Maldidier 81, 89
Marbe, K. 64
Marie, P. 64, 65, 110
Maritain, J. 32
Messer, A. 64, 72, 136
Meyerson, I. 75, 76, 77, 78, 95, 96, 97
Mill, J.S. 29, 30, 39, 65
Moutier, F. 110, 111

Pascal, B. 78
Peillaube, E. 33, 72, 73
Philippe, J. 72
Platão 49

Quercy, P. 41

Revault d'Allonnes, G. 61, 72
Ribot, Th. 35, 36, 37, 38, 39, 40, 57, 58, 68, 69, 72, 73, 112

Sandras 24
Spaier, A. 59, 72, 75, 76, 79, 81, 82, 88, 90, 91, 93, 96, 97, 98, 105, 109, 111, 113, 133
Spinoza, B. de 14, 15, 80, 101, 133

Taine, H. 26, 27, 28, 29, 30, 32, 34, 35, 37, 38, 39, 40, 58, 60, 62, 63, 68, 73, 80, 82, 83, 84, 85, 86, 87, 91, 101, 111
Titchener, E.B. 68, 72

Vachet, P. 115
Valéry, P. 70

Watson, J.B. 112
Watt, H.J. 68, 73, 136
Wernicke, C. 29, 110

Sobre o autor

Jean-Paul Sartre nasceu em 21 de junho de 1905 em Paris, filho de Jean-Baptiste Sartre, oficial da Marinha, e Anne-Marie Schweitzer, oriunda de uma família de intelectuais alsacianos. Jean-Baptiste morreu de febre amarela quando o filho tinha quinze meses. O avô, Charles Schweitzer, um professor de alemão, introduziu o neto, ainda criança, à literatura clássica. Em 1917, Anne-Marie casou-se novamente, mas Sartre nunca aprendeu a gostar do padrasto. Mudaram-se para La Rochelle, onde Sartre viveu dos doze aos quinze anos. Em 1921, doente, foi enviado a Paris, onde sua mãe decidiu mantê-lo, para o bem da sua educação. Interessou-se por filosofia ainda adolescente. Estudou no célebre liceu Henri IV, onde fez amizade com Paul Nizan (que morreria precocemente na Segunda Guerra Mundial). Passou pelo Liceu Louis le Grand e fez os estudos superiores na École Normale Supérieure de Paris, onde formaram-se vários pensadores franceses proeminentes. Foi influenciado pelas ideias de Kant, Hegel e Heidegger. Em 1929, conheceu Simone de Beauvoir (1908-1986), futura filósofa, escritora e feminista com quem teria um relacionamento amoroso e intelectual que se tornaria célebre pelo modernismo (não eram monógamos, nunca foram formalmente casados e moraram separados a maior parte de suas vidas) e que duraria até a morte do filósofo. Ela, como Sartre, era oriunda de uma família pequeno-burguesa e rejeitava este modelo de vida. Nesse mesmo ano ele obteve o diploma de doutor em filosofia e foi recrutado pelo exército francês.

Em 1931, passou a lecionar no Liceu do Havre. Sua experiência como professor mostrou-se gratificante: era um mestre caloroso, entusiasta e dedicado; manteria uma relação próxima com a juventude durante toda a vida.

Passou um período em Berlim, de 1933 a 1934, onde completou sua educação sobre a fenomenologia de Husserl. Iniciava-se uma boa fase: publicou em 1938 *La nausée* (*A náusea*), romance sobre um professor do interior que é o manifesto literário do existencialismo, corrente filosófica segundo a qual, para Sartre, as nossas ideias são produtos de experiências da vida real, a existência precede a essência, e o homem é livre para projetar a própria vida.

Segue-se a publicação da coletânea de contos *Le mur* (*O muro*), em 1939. Com o início da guerra, Sartre foi chamado a servir no exército francês como meteorologista. Tropas alemãs capturaram-no em 1940, e ele passou nove meses na prisão. Ali escreveu sua primeira peça teatral, *Barionà, fils du tonnerre*, e a encenou para diversão dos colegas de cárcere. Foi libertado em 1941 sob alegação de má saúde. Retomou o cargo de professor no Liceu Pasteur e posteriormente no Liceu Condorcet. Ainda em 1941, foi cofundador do grupo de resistência Socialismo e Liberdade, junto com Simone de Beauvoir, Merleau-Ponty e outros. O grupo desapareceu no final do ano, após a prisão de dois dos seus membros. Em 1943, publicou *L'être et le néant* (*O ser e o nada*), sua principal obra filosófica, e a peça *Les mouches* (*As moscas*) – um fracasso de público. Em 1944, uma nova peça, *Huis clos* (*Entre quatro paredes*), obteve enorme sucesso. Ao mesmo tempo escrevia para revistas literárias, legais e clandestinas. Após a liberação de Paris, ainda em 1944, contribuiu ativamente para o periódico *Le combat* (*O combate*), fundado no período da clandestinidade por Albert Camus, filósofo e escritor que nutria ideais semelhantes aos de Sartre. Simone de Beauvoir e Sartre foram amigos íntimos de Camus até 1951, quando este publicou *Le rebel* (*O homem revoltado*) e se afastou das ideias comunistas. Após o fim da guerra, Sartre fundou, em 1945, *Les temps modernes*, uma revista mensal, publicada pela prestigiosa editora Gallimard e existente até hoje. É desse mesmo ano a palestra, posteriormente editada em livro, *L'éxistencialisme est un humanisme* (*O existencialismo é um humanismo*). Escreveu muito nesse período, principalmente *Les chemins de liberté* (*Os caminhos da liberdade*), trilogia romanesca que compreende *L'âge de la raison* (*A idade da razão*), de 1945, *Le sursis* (*Sursis*), de 1947, e *La mort dans l'âme* (*Com a morte na alma*), de 1949, na qual reflete sobre a experiência da guerra. A peça *Les mains sales* (*As mãos sujas*), de 1948, explora o conflito entre ser um intelectual e ser politicamente ativo.

Nesse ano a Igreja Católica colocou toda a obra de Sartre no índex. Embora ele nunca tenha se filiado ao Partido Comunista, abraçou o comunismo e também o stalinismo (em 1956, o ataque de tanques russos contra protestos húngaros o levou a crer que era possível um proletariado fora do partido). Foi um dos principais defensores da guerra da independência argelina (1958 a 1962), e em 1962, a Organização do Exército Secreto, que reunia partidários da presença francesa na Argélia, realizou um atentado a bomba à casa do filósofo. O trabalho mais emblemático desse período é *Critique de la raison dialectique* (*Crítica à razão dialética*), de 1960. Em 1964, Sartre despediu-se da literatura, publicando um irônico livro de memórias, *Les mots* (*As palavras*). No mesmo ano, foi laureado com o Prêmio Nobel de Literatura, que declinou receber, explicando que toda a vida recusara distinções oficiais e não poderia ir contra seus princípios. Recusara, também, uma medalha da Legião da Honra e uma cátedra no prestigiado Collège de France. Segundo ele, tais reconhecimentos o alienariam da sua liberdade de escritor, tornando-o uma instituição. Foi contra a Guerra do Vietnã; em 1966, participou da organização do tribunal Bertrand Russell, que expôs os crimes de guerra norte-americanos; envolveu-se nos protestos estudantis de Paris de 1968, apoiou a Revolução Cubana (só rompendo com Fidel Castro na década de 70) e o maoismo. Permaneceu politicamente engajado até o final da vida, emprestando seu nome a movimentos de esquerda e organizando debates de intelectuais engajados.

Desde a década de 60 sua saúde deteriorava-se devido ao excesso de trabalho e ao consumo de álcool, tabaco e anfetaminas. A partir dos 67 anos, começou a ter problemas de visão e contratou um secretário, Bernard Lévy. No final da vida, interessou-se pelo conflito israelense-palestino: era a favor do estado de Israel, mas chamava atenção para as condições de vida dos palestinos, pregando a negociação pacífica. Embora tenha sempre recusado honrarias, em 1976 aceitou o título de doutor *honoris causa* da Universidade de Jerusalém. Ao morrer, em 15 de abril de 1980, de edema pulmonar, trabalhava em um grande ensaio sobre Flaubert, *L'Idiot de la famille* (*O idiota da família*). Mais de cinquenta mil pessoas estiveram presentes no seu funeral.

Outras obras suas: *L'imagination* (*A imaginação*), 1936; *La transcendence de l'égo* (*A transcendência do ego*), 1937; *Esquisse pour une théorie des émotions* (*Esboço para uma teoria das emoções*), 1939; *L'imaginaire* (*O imaginário*) 1940; *Refléxions sur la question juive* (*Reflexões sobre a questão judia*), 1943; *Morts sans sépulture* (*Mortos sem sepultura*), 1946; *La putain respecteuese* (*A prostituta respeitosa*), 1946; *Qu'est-ce que la littérature* (*O que é literatura?*), 1947; *Baudelaire*, 1947; *Situations* (dez volumes de crítica literária, publicados de 1947 a 1976), *Le diable et le bon dieu* (1951), *Les jeux sont faits* (*Os dados estão lançados*), 1952; *Saint Genet, actor et martyr* (*Saint Genet, ator e mártir*), 1952; *Les séquestrés d'Altona* (*Os sequestrados de Altona*), 1959; *Cahiers pour une morale* (*Cadernos para uma moral*), 1983, e *Les carnets de la drôle de guerre* (*Diário de uma guerra estranha*), 1984.

lepmeditores
www.lpm.com.br
o site que conta tudo

IMPRESSÃO:

PALLOTTI
GRÁFICA

Santa Maria - RS | Fone: (55) 3220.4500
www.graficapallotti.com.br